COLLECTION FOLIO

Montréal

May 2022

Montréal
May 2022

Ernest Hemingway

Paris est une fête

ÉDITION REVUE ET AUGMENTÉE

ÉDITÉ ET INTRODUIT PAR SEÁN HEMINGWAY

AVANT-PROPOS DE PATRICK HEMINGWAY

Traduit de l'américain
par Marc Saporta
et, pour l'avant-propos, l'introduction et les inédits,
par Claude Demanuelli

Gallimard

Titre original :

A MOVEABLE FEAST
The Restored Edition

Ernest Hemingway est né en 1899 à Oak Park, près de Chicago. Tout jeune, en 1917, il entre au *Kansas City Star* comme reporter, puis s'engage sur le front italien. Après avoir été quelques mois correspondant du *Toronto Star* dans le Moyen-Orient, Hemingway s'installe à Paris et commence à apprendre son métier d'écrivain. Son roman *Le soleil se lève aussi* le classe d'emblée parmi les grands écrivains de sa génération. Le succès et la célébrité lui permettent de voyager aux États-Unis, en Afrique, au Tyrol, en Espagne.

En 1936, il s'engage comme correspondant de guerre auprès de l'armée républicaine en Espagne, et cette expérience lui inspire *Pour qui sonne le glas.* Il participe à la guerre de 1939 à 1945 et entre à Paris comme correspondant de guerre avec la division Leclerc. Il continue à voyager après la guerre : Cuba, l'Italie, l'Espagne. *Le vieil homme et la mer* paraît en 1953.

En 1954, Hemingway reçoit le prix Nobel de littérature.

Malade, il se tue, en juillet 1961, avec un fusil de chasse, dans sa propriété de l'Idaho.

AVANT-PROPOS

Une nouvelle génération de lecteurs de Hemingway (espérons qu'il n'y aura jamais en la matière de génération perdue !) va avoir l'occasion, grâce au présent volume, de lire un texte à la fois plus complet et plus proche de l'original que le manuscrit qui constituait, pour l'auteur, une sorte de mémoire de ses jeunes années d'écrivain à Paris, qui restent parmi ses meilleures « fêtes mobiles ».

Depuis des temps immémoriaux, les grandes œuvres littéraires ont toujours donné lieu à plusieurs éditions. Prenons la Bible, par exemple. Quand j'étais enfant, élevé dans la religion catholique de ma grand-mère maternelle, Mary Downey, native du comté de Cork, j'en entendais la lecture depuis la chaire pendant le sermon, le dimanche ou les jours de fête religieuse, et je la lisais moi-même à la maison : il s'agissait de la version de Douai (BD), qui, différente de la version King James (KJ), est plus proche, littéralement parlant, de la Vulgate (V).

Comparons simplement les deux lignes d'ouverture, telles qu'elles apparaissent dans les trois versions :

BD :

1. Au commencement, Dieu créa le ciel et la terre.
2. Et la terre était vide et informe ; et les ténèbres couvraient la face de l'abîme. Et l'Esprit de Dieu habitait la surface des eaux.

KJ :

1. Au commencement, Dieu créa le ciel, et la terre.
2. Et la terre était vide et nue, et les ténèbres couvraient la face de l'abîme ; et l'Esprit de Dieu était porté sur les eaux.

V :

1. *In principia creavit deus caelum et terram.*
2. *Terra autem erat inanis et vacua et tenebrae super faciem abyssi et spiritus dei ferebatur super aquas.*

Après avoir consulté ces trois versions sur Internet, j'avais manifestement le choix, en raison de l'ambiguïté du texte de la Vulgate, entre deux interprétations : l'Esprit de Dieu flottant à la surface de l'eau telle une sargasse, ou, au contraire, s'élevant au-dessus des eaux tel un albatros des mers du Sud.

Il reste que, à mes yeux, l'envol a quelque chose de plus divin, et les ecclésiastiques protestants de la King James étaient, semble-t-il, du même avis. Pas plus les protestants que les catholiques n'étaient en mesure de se tourner vers Dieu pour lever pareilles ambiguïtés. Il en va de même pour Hemingway. Il est mort avant d'avoir décidé d'une préface pour son ouvrage, de titres de chapitres, d'une fin, et d'un titre général, et personne, à l'instar de la mère du vieux gaucho dans l'ouvrage de W. H. Hudson *Far Away And Long Ago* [Autres temps, autres lieux], n'a été capable jusqu'ici d'entrer en communication avec lui pour régler ces questions.

Que dire du titre ? Mary Hemingway le tient d'une remarque de son époux à Aaron Hotchner : « Si vous avez eu la chance de vivre à Paris quand vous étiez jeune, quels que soient les lieux visités par la suite, Paris ne vous quitte plus, car Paris est une fête mobile. »

Quand mon père a été libre d'épouser ma mère, Pauline, il a accepté de se convertir au catholicisme et de suivre un cours d'instruction religieuse à Paris. Hemingway avait, bien entendu, reçu une solide éducation protestante, mais, pendant la nuit qui suivit le jour où il avait été blessé par un tir de mortier sur le front italien, il avait reçu les derniers sacrements des mains d'un aumônier catholique, et, à l'exemple du célèbre roi de France à la statue duquel il fait allusion dans ses réminiscences parisiennes, il savait que Pauline valait bien une messe.

J'imagine que le prêtre, qui très vraisemblablement célébrait la messe à Saint-Sulpice, où Pauline assistait aux offices puisque l'église était proche de son appartement parisien, prit son rôle d'instructeur très au sérieux. S'il est une notion dont il a dû discuter avec mon père, c'est celle de fête mobile. Il lui aura sans doute expliqué que l'expression s'applique aux grandes fêtes religieuses dont la date dépend de celle, variable d'une année à l'autre, du jour de Pâques, et qui sont donc elles aussi variables. Hemingway a dû alors se souvenir de l'une des tirades les plus mémorables de Shakespeare, le discours que, le jour de la saint Crépin, Henry V adresse à ses troupes avant la bataille d'Azincourt. La saint Crépin n'est pas une fête mobile et tombe chaque année le même jour, mais pour celui qui avait combattu ce jour-là, dit le barde, elle devenait sa fête mobile.

La relative complexité liée à cette notion réside dans le calcul de la date de Pâques, à partir de laquelle il devient très simple d'assigner à chaque fête mobile pour une année donnée une date sur le calendrier. Le dimanche des Rameaux, par exemple, tombe sept jours avant Pâques.

En revanche, le calcul visant à déterminer la date de Pâques est tout sauf simple. Il porte un nom spécial : le comput. Et il a fallu un mathématicien de renom, Carl Friedrich Gauss, pour mettre au point un algorithme du calcul en question. L'instructeur et l'élève ont dû prendre grand plaisir à ces discussions ésotériques. Il m'arrive de me demander si James Joyce, à ses heures, ne s'est pas joint à eux !

Dans la dernière partie de sa vie, l'idée d'une fête mobile a sans doute pris pour Hemingway la forme que Henry V voulait donner à la saint Crépin pour « nous autres, ceux de l'heureuse petite bande[1] » : celle d'un souvenir, voire d'une manière d'être partie intégrante de soi, dont vous ne vous séparez jamais, où que vous soyez, où que vous alliez et que vous viviez, et qui restera toujours vôtre. Une expérience primitivement ancrée dans un lieu et un moment où un état comme le bonheur ou l'amour se transforme alors en une entité mobile transportable et dans le temps et dans l'espace. Hemingway avait plus d'une fête mobile à son actif, en dehors de Paris : le jour J à bord d'une péniche prête à débarquer à Omaha Beach, par exemple. Mais pas de fête mobile sans mémoire. Dans le sillage de la mémoire disparue, et de la conscience de cette disparition, a toute chance de naître le désespoir, ce péché commis à l'encontre du Saint-Esprit. Les électrochocs détruisent la mémoire aussi sûrement que la démence ou la mort, à cette différence près toutefois que, contrairement à ce qui se passe pour les secondes, vous ressortez des premiers pleinement conscient de la destruction.

Maintenant que j'ai essayé de vous préparer à la lecture de l'ouvrage, je vous propose en con-

1. *« We few, we happy few »*, dans l'exhortation du roi au comte de Westmoreland (*Henry V*, acte IV, scène 3). (*N. d. T.*)

clusion les derniers mots de l'écrivain Hemingway, lesquels constituent le véritable avant-propos de *Paris est une fête* : « Cet ouvrage contient des matériaux tirés des *remises*[1] de ma mémoire et de mon cœur. Même si l'on a trafiqué la première, et si le second n'est plus. »

Patrick HEMINGWAY

1. En français dans le texte.

INTRODUCTION

En novembre 1956, la direction de l'hôtel Ritz à Paris persuada Ernest Hemingway de reprendre possession de deux malles-cabine entreposées là depuis mars 1928[1]*. Elles contenaient des vestiges oubliés de ses premières années à Paris : pages de roman dactylographiées, carnets de notes relatives au *Soleil se lève aussi*, livres, coupures de presse, vieux vêtements. Pour remporter cette précieuse cargaison à la Finca, à Cuba, lors de leur traversée sur le paquebot *Île-de-France*, Ernest et sa femme, Mary, firent l'emplette d'une grande malle-cabine Louis Vuitton. Je me rappelle, enfant, avoir vu celle-ci dans l'appartement new-yorkais de ma marraine, Mary, et je me souviens encore de ses élégantes garnitures en cuir, de ses cornières en laiton, de l'énorme logo Louis Vuitton et des initiales gravées en lettres d'or, « EH ». La malle elle-même était assez

* Le lecteur pourra consulter les notes relatives à l'Introduction p. 30 et suivantes.

grande pour me contenir tout entier, et j'étais émerveillé à la pensée de la vie prestigieuse et pleine d'aventures que menait mon grand-père.

Il se peut que Hemingway ait eu avant cette date l'envie de rédiger les Mémoires de son premier séjour à Paris — par exemple, pendant la longue convalescence consécutive à ses accidents d'avion en Afrique en 1954, dans lesquels il faillit trouver la mort —, mais c'est l'entrée en possession de ces matériaux, véritable capsule témoin de cette période capitale de sa vie, qui le poussa à mettre l'idée à exécution[2]. Au cours de l'été 1957, il commença à travailler sur les « Vignettes parisiennes », comme il appelait alors le livre. Il y travailla à Cuba et à Ketchum, et emporta même le manuscrit avec lui en Espagne pendant l'été 59, puis à Paris, à l'automne de cette même année. En novembre, Hemingway avait terminé la première version d'un texte auquel il ne manquait qu'une introduction et le dernier chapitre, et l'avait remis à Scribner. *Paris est une fête*, publié de manière posthume en 1964, concerne les années parisiennes 1921 à 1926. Une étude détaillée des manuscrits préparatoires montre que l'auteur n'a réutilisé qu'une infime partie de la documentation contenue dans les notes et documents de départ[3]. Significatif à cet égard est le chapitre consacré au poète Cheever Dunning, qui peut être directement rattaché à une première esquisse de l'épisode que Hemingway décrit dans une lettre à Ezra Pound en date du 15 octobre 1924[4]. Dans le même ordre d'idée, des fragments du chapitre « Ford Madox Ford et le disciple du diable » furent empruntés à des textes éliminés de son roman *Le soleil se lève aussi* et redécouverts dans les carnets trouvés dans les malles du Ritz. Alors que *Paris est une fête* constitue le premier et le plus complet des ouvrages d'Ernest Hemingway à avoir été publié après sa mort, Mary Hemingway écrit, dans sa note liminaire, que le livre était terminé au printemps 1960, une fois bouclée une nouvelle série de révisions à la Finca. En réalité, aux yeux de Hemingway, le livre n'a jamais été achevé.

Cette nouvelle édition de *Paris est une fête* célèbre en quelque sorte le cinquantenaire de la première version de ce grand classique de mon grand-père consacré à ses souvenirs des années 1920 à Paris. Nous présentons ici pour la première fois le texte manuscrit original tel qu'il était au moment de la mort de l'écrivain en 1961. Bien que Hemingway eût conclu plusieurs versions du texte dans les années antérieures, il n'avait rédigé ni introduction ni dernier chapitre susceptibles de le satisfaire, pas plus qu'il n'avait choisi de titre. De fait, il continua à travailler sur le livre au moins jusqu'en avril 1961.

Pendant les trois années, ou presque, qui s'écoulent entre la mort de l'auteur et la première publication de *Paris est une fête*, au printemps 1964, le manuscrit subit d'importants amendements de la main des éditeurs, de Mary Hemingway et de Harry Brague de la maison Scribner. Quelques textes, au demeurant peu nombreux, que Hemingway avait prévu d'inclure dans l'ouvrage sont supprimés, tandis que sont ajoutés d'autres fragments qu'il avait certes destinés à cet ouvrage mais n'avait finalement pas retenus, notamment le chapitre « Naissance d'une nouvelle école », la majeure partie du chapitre consacré à Ezra Pound, et intitulé désormais « Ezra Pound et le Ver mensurateur », ainsi qu'une grande partie du dernier chapitre, d'abord intitulé « Paris n'a jamais de fin » et rebaptisé ici « Hivers à Schruns ». La « préface d'Ernest Hemingway » à *Paris est une fête* est en réalité le fait de Mary Hemingway, qui l'a rédigée à partir de fragments manuscrits, et n'a en conséquence pas été incluse dans la présente édition. Semblablement, les éditeurs ont changé l'ordre de certains chapitres. Le chapitre 7 est devenu le 3, et le 16, celui sur Schruns, le dernier, après ajout de certains extraits d'un chapitre dans lequel Hemingway parlait de sa rupture avec Hadley et de son récent mariage avec Pauline Pfeiffer, texte publié ici pour la première fois dans son intégralité sous le titre « Le poisson-pilote et les riches ». Hemingway avait décidé à l'époque de ne pas incorporer ces fragments à l'ouvrage, convaincu que sa relation avec Pauline était un commencement et non une fin.

Les dix-neuf chapitres de l'édition originale de

Paris est une fête tels qu'ils sont publiés ici se fondent sur un manuscrit dactylographié annoté de la main même de Hemingway, dernier brouillon du dernier ouvrage sur lequel il ait jamais travaillé. Le manuscrit lui-même se trouve dans la Collection Ernest Hemingway de la bibliothèque John F. Kennedy à Boston, où est déposé l'ensemble des manuscrits de l'écrivain[5]. Bien qu'il ne comporte pas de chapitre final, je reste persuadé qu'il fournit une image plus fidèle de l'ouvrage tel que mon grand-père aurait voulu le voir publier.

La première édition de *Paris est une fête* avait subi certaines modifications éditoriales relativement mineures, que l'éditrice aurait malgré tout eu du mal à faire accepter par l'auteur si elle avait dû les soumettre à son approbation et qui ont donc cédé la place à la version originale. La plus significative de ces modifications, à mon sens, concerne l'emploi, en de nombreux endroits du récit, du pronom de deuxième personne, un emploi manifeste dès le premier paragraphe du chapitre un, puis tout au long de l'ouvrage. Le recours délibéré et soigneusement pesé à ce procédé narratif donne l'impression d'un auteur qui se parle à lui-même, et en même temps, grâce à la répétition du « vous », amène le lecteur à entrer dans l'histoire et à la partager avec lui.

Une révision particulièrement préjudiciable avait affecté l'avant-propos du chapitre 17, qui porte sur F. Scott Fitzgerald. Le texte définitif de Hemingway est le suivant :

> Son talent était aussi naturel que les dessins poudrés sur les ailes d'un papillon. Au début, il en était aussi inconscient que le papillon et, quand tout fut emporté ou saccagé, il ne s'en aperçut même pas. Plus tard, il prit conscience de ses ailes endommagées et de leurs dessins, et il apprit à réfléchir. *Il avait repris son vol, et j'ai eu la chance de le rencontrer juste après qu'il eut connu une période faste de son écriture, sinon de sa vie.*

Dans l'édition posthume, cette dernière phrase devient :

> Son talent était aussi naturel que les dessins poudrés sur les ailes d'un papillon. Au début, il en était aussi inconscient que le papillon et, quand tout fut emporté ou saccagé, il ne s'en aperçut même pas. Plus tard, il prit conscience de ses ailes endommagées et de leurs dessins, et il apprit à réfléchir, *mais il ne pouvait plus voler car il avait perdu le goût du vol et il ne pouvait que se rappeler le temps où il s'y livrait sans effort*[6].

Il est clair que les éditeurs ont emprunté ce texte à un brouillon antérieur rejeté par Hemingway, mais ce genre de décision éditoriale, qui donne de Fitzgerald une vision beaucoup moins sympathique que celle proposée par Hemingway dans la version finale, semble totalement injustifié.

Hemingway n'avait donné de titres qu'à trois des chapitres de l'original : « Ford Madox Ford et le disciple du diable », « Naissance d'une nouvelle école » et « L'homme marqué par la mort ». Les titres de la première publication ont été retenus, sauf dans les cas mentionnés ci-dessus, afin de faciliter la lecture de ceux qui connaissent déjà l'ouvrage. Je tiens à préciser que c'est moi qui ai fourni les titres des vignettes supplémentaires publiées ici pour la première fois.

Il existe beaucoup de textes écrits pour *Paris est une fête* et finalement écartés par Hemingway en vertu de « la vieille règle selon laquelle l'auteur d'un ouvrage ne devrait se prononcer sur la valeur de celui-ci qu'en fonction de l'excellence des matériaux qu'il rejette ». Dix chapitres supplémentaires, au moins, avaient été composés pour le livre, chacun à divers stades d'achèvement, et ils figurent ici dans une section distincte* placée à la suite du texte principal. Aucun d'entre eux n'était terminé à la satisfaction de l'auteur, et ils doivent donc tous être considérés comme inachevés. Certains furent écrits et récrits en deux versions, tandis que d'autres sont conservés sous forme d'un seul et unique manuscrit rédigé à la main. Je pense que la plupart des lecteurs s'entendront pour dire que, dans leur ensemble, ils constituent un ajout non négligeable à l'ouvrage.

* Deux rubriques dans l'édition française. *(N.d.É.)*

Dans la mesure où les chapitres de *Paris est une fête* ne suivent pas un ordre chronologique strict, je me suis permis d'organiser les chapitres supplémentaires selon une logique personnelle. « Naissance d'une nouvelle école » vient en premier parce que le texte figurait déjà dans la première publication, où les éditeurs l'avaient placé entre « Ford Madox Ford et le disciple du diable » et « Avec Pascin, au Dôme ». Hemingway avait écrit deux fins distinctes pour ce chapitre, lesquelles ont été révisées et en partie réunies par les éditeurs de *Paris est une fête.* Les deux fins sont proposées ici, telles que Hemingway les avait conçues. De la même manière, « Ezra Pound et son Bel Esprit » est un texte qui figure dans *Paris est une fête,* mais qui constituait primitivement un chapitre séparé avant d'être, en fait, éliminé par Hemingway.

« Écrire à la première personne » vient ensuite, parce que c'est un essai radicalement différent de tous ceux qui suivent. Il traite de l'écriture, plus que d'un souvenir particulier, et, en tant que tel, semble plus approprié en début qu'en fin d'ouvrage. Même s'il reste inachevé, il offre un aperçu intéressant du processus d'écriture, tout en raillant l'école dite des « détectives privés » de la critique littéraire. La plupart des jeunes auteurs écrivent à partir de leur expérience, mais Hemingway, comme il le suggère dans son bref aperçu, s'inspirait beaucoup d'autres sources de première voire de seconde main. Il mentionne, par exemple, avoir interviewé des soldats de la Première Guerre mondiale, et sa maîtrise de la fiction historique n'est jamais aussi manifeste que dans son roman *L'Adieu aux armes*, où il recrée la retraite de Caporetto de façon si précise que l'on a du mal à croire qu'il n'assistait pas aux combats[7].

« Plaisirs secrets » évoque l'épisode dans lequel Ernest se laisse pousser les cheveux, et où Hadley et lui décident de se les laisser pousser à la même longueur. Selon toute vraisemblance, l'essai a trait à l'hiver 1922-1923, quand ils étaient à Chamby-sur-Montreux, en Suisse, et non à Schruns, en Autriche, et constitue un cas d'altération des faits au nom d'une plus grande efficacité de l'histoire[8]. Le texte, conservé sous la forme d'un unique brouillon manuscrit, est assez audacieux dans sa peinture intimiste de l'auteur et de sa femme et rappelle certains passages du roman posthume de Hemingway, *Le Jardin d'Éden*[9]. Il donne une image frappante du jeune journaliste professionnel qu'il était alors, ne disposant que d'un seul costume correct et d'une seule paire de chaussures de ville, obligé malgré tout de sacrifier aux conventions sociales et au code vestimentaire de sa profession. La longueur de la coupe de cheveux reste un thème d'actualité pour les jeunes d'aujourd'hui au moment où ils entrent dans la vie active. Hemingway détaille ici les motivations et les implications complexes liées pour lui au simple fait de se laisser pousser les cheveux : passage à un nouveau mode de vie bohème comme écrivain à plein temps, économies non seulement de frais de coiffeur mais des dépenses inhérentes à la fréquentation des quartiers chics que lui interdirait une apparence débraillée, temps à consacrer à l'écriture, réactions dédaigneuses de ses collègues journalistes, à l'encontre du statut totalement différent accordé aux cheveux longs dans la culture de ces Japonais que Hemingway croisait dans l'atelier d'Ezra Pound, et dont il admirait les cheveux noirs, longs et raides. De ce geste à la fois pragmatique et contestataire découle l'idée que lui et Hadley pourraient parvenir à avoir des cheveux de même longueur, dans un jeu secret connu d'eux seuls. L'auteur oppose avec brio et drôlerie la scène parisienne et celle de Schruns, où le coiffeur local croit naïvement que Hemingway suit la dernière mode parisienne, et encourage en conséquence certains de ses clients à adopter le même style de coiffure.

« Un drôle de club de boxe » est consacré à un boxeur canadien peu connu, du nom de Larry Gains, et à son entraînement rien moins qu'orthodoxe au stade Anastasie, un restaurant-dancing d'un quartier chaud de Paris à l'époque, où les combats servaient de divertissements d'après-dîner et où les boxeurs faisaient office de serveurs. Il s'agit là d'un portrait inhabituel du Paris des années 20, qui révèle par ailleurs les penchants pugilistiques de Hemingway, lequel aimait lui-même boxer et a couvert plusieurs grands combats pour les journaux[10]. Hemingway, comme quand il s'amuse à boxer avec Ezra Pound dans son atelier, se pose ici en connaisseur du noble art, dont l'autorité apparaît à l'évidence au lecteur dans la manière précise dont il évalue la stratégie du novice qu'était Larry Gains.

« L'âcre odeur des mensonges » est un portrait peu flatteur de Ford Madox Ford, dont l'haleine était « plus immonde que le jet d'une baleine ». La violente antipathie de Hemingway à l'égard de Ford a longtemps déconcerté ses biographes, surtout au vu des articles critiques élogieux de Ford sur les écrits de Hemingway et des occasions fournies par le premier au second quand il le prit comme rédacteur en chef adjoint de la *Transatlantic Review*[11]. D'aucuns pensent que leur brouille est née d'une querelle d'argent[12]. Dans la présente vignette, Hemingway attribue son « antipathie [...] irraisonnée » à l'égard de Ford à sa propre incapacité à écouter les mensonges incessants de l'autre.

« L'éducation de Mr Bumby » est une vignette résultant d'un seul et unique manuscrit où l'on voit Ernest et son fils Jack, surnommé Bumby, rencontrer F. Scott Fitzgerald dans un café parisien « neutre » pour prendre un verre. Le texte apporte une touche supplémentaire au tableau que fait par ailleurs Hemingway de Fitzgerald, confronté à la boisson et à la jalousie de son épouse Zelda à son égard en raison de ses succès littéraires. Après avoir raconté à Fitzgerald quelques anecdotes concernant la Première Guerre mondiale, Hemingway explique à Bumby que leur ami commun, André Masson, victime des ravages de la guerre, n'en a pas moins poursuivi avec succès sa carrière de peintre. Masson s'était battu pendant deux ans et demi, jusqu'en 1917, date à partir de laquelle, suite à une blessure à la poitrine, il commença à souffrir de dépression chronique. Masson partageait un atelier à Paris avec Joan Miró, et Hemingway lui rendait visite à intervalles plus ou moins réguliers. Il acquit d'ailleurs trois paysages de forêt de Masson, lesquels sont aujourd'hui accrochés dans la salle Hemingway de la bibliothèque John F. Kennedy. Le traumatisme de la guerre explique peut-être en partie l'impression obsédante produite par ces tableaux[13].

« Scott et son chauffeur parisien » porte davantage sur Fitzgerald que sur Paris, puisque l'action se déroule en Amérique, après un match de football à Princeton auquel assistèrent les Fitzgerald et les Hemingway à l'automne 1928. On comprend la décision de Hemingway de ne pas inclure l'essai dans *Paris est une fête* : l'épisode qu'il rapporte est postérieur à la période couverte par l'ouvrage. Cependant, l'humour grinçant et le thème de l'automobile en font un complément intéressant au chapitre qui relate le voyage de Lyon à Paris effectué par les deux hommes dans la Renault décapotable de Fitzgerald, permettant par la même occasion à Hemingway d'étoffer son évocation des « tragédies, de la générosité et des attachements de Scott ».

À en juger par les manuscrits, le plus gros problème auquel se trouva confronté Hemingway dans la rédaction de *Paris est une fête* fut la façon dont il devait traiter sa trahison de Hadley avec Pauline et la fin de son premier mariage. D'une certaine manière, l'événement aurait constitué une fin logique pour le livre, et l'on peut comprendre le choix de Mary Hemingway. Hemingway, cependant, après avoir écrit un chapitre sur le sujet, inclus dans la présente édition sous le titre « Le poisson-pilote et les riches », en décida autrement, dans la mesure où il considérait son mariage avec Pauline comme un commencement et où une telle conclusion laissait clairement l'héroïne du livre, Hadley, seule et abandonnée. Le plus grave, c'est que seul un fragment de l'essai « Le poisson-pilote et les riches » fut incorporé au dernier chapitre de l'édition de 1964 de *Paris est une fête.* Les passages dans lesquels Hemingway exprime ses remords, ou assume la responsabilité de la rupture, ou encore parle de « l'incroyable bonheur » qu'il connut avec Pauline, furent, eux, supprimés par les éditeurs. Pour la première fois, donc, les lecteurs de cette édition disposeront du texte intégral, tel que Hemingway l'avait rédigé.

Les nombreuses révisions auxquelles Mary Hemingway avait soumis ce texte semblent avoir été dictées davantage par son statut personnel de quatrième et dernière épouse de l'écrivain que par les intérêts du livre ou de l'auteur, lequel apparaît dans l'édition posthume sous les traits d'une victime inconsciente, ce que de toute évidence il n'était pas.

« *Nada y pues nada* », écrit en trois jours, les 1er, 2 et 3 avril 1961, était destiné à servir de conclusion à *Paris est une fête.* Il s'agit là du dernier texte dont on peut dire avec certitude que Hemingway l'a écrit pour cet ouvrage ; il est conservé sous la forme d'un seul et unique manuscrit. Autant qu'un chapitre intégré à un ensemble, il est le reflet de l'état d'esprit de l'écrivain au moment de la rédaction, trois semaines seulement avant une tentative de suicide. La manière dont il s'investit dans son travail, malgré une santé défaillante, est remarquable, surtout si l'on songe à la paranoïa et à l'état dépressif sévère dont il souffrait. Déclarer, comme il l'avait fait en des temps meilleurs, qu'il était né pour écrire, qu'il « avait écrit et qu'il écrirait encore », a dû lui être d'autant plus difficile qu'il savait ne plus être très productif, et ce depuis déjà un certain temps. Dans la dernière phrase de l'essai, il écrit que l'on a trafiqué sa mémoire — allusion sans doute à son récent séjour à la clinique Mayo pour un traitement d'électrochocs —, et que son cœur n'est plus. Comme le fait remarquer dans *Le Petit Prince* son ami du temps de la guerre d'Espagne, Antoine de Saint-Exupéry, seul le cœur nous permet d'appréhender le monde et les gens, puisque l'essence des choses n'est pas visible à l'œil nu. Le désespoir qu'exprime ici Hemingway est un sinistre présage de la fin qu'il s'infligera lui-même moins de trois mois plus tard.

Dans une lettre à Charles Scribner Jr., datée du 18 avril 1961, qu'il n'enverra jamais, Hemingway déclare être dans l'incapacité, contrairement à ce qu'il espérait, de terminer l'ouvrage et propose qu'il soit publié sans chapitre final[14]. Il précise qu'il s'efforce de rédiger une conclusion depuis plus de un mois. Les différentes tentatives et les faux départs inclus dans la section « Fragments » de ce volume datent probablement de cette période. L'auteur fournit également une longue liste de titres possibles pour *Paris est une fête.* Hemingway avait toujours eu pour habitude de rédiger des listes de titres pour ses ouvrages, et ce dès son recueil de nouvelles des années 20, *In Our Time*[15]. Certains étaient fantaisistes, d'autres plus sérieux, et il disait volontiers que la Bible était une mine à cet égard[16]. À première vue, la liste dressée par Hemingway à cette époque est consternante, signe sans doute révélateur d'une santé mentale détériorée. On y trouve : Ce que personne ne sait, Espérer et bien écrire (Histoires parisiennes), Écrire le vrai, Les bons clous sont en acier, Le taureau par les cornes, Comment c'était, Des gens et des lieux, Comment tout a commencé, Aimer et bien écrire, Sur le ring, c'est autre chose, et, personnellement, celui que je préfère : Comme tout était différent quand tu étais là.

Le titre qu'il retint pendant un temps était : L'Œil des débuts et l'oreille (Le Paris des premiers temps), évocateur d'un manuel de médecine qui aurait pu appartenir à son père. Trêve de plaisanterie. Je dirais que par le biais de ce titre Hemingway faisait vraisemblablement référence à ce qu'il estimait être deux des aspects fondamentaux de sa technique d'écriture. L'œil, l'organe privilégié dans l'appréciation des arts plastiques, instaure un parallèle intéressant entre écriture et peinture, sujet qu'aborde Hemingway dans *Paris est une fête*, notamment lorsqu'il parle de ce qu'il a appris en regardant les tableaux de Cézanne[17]. C'est son œil que Hemingway a d'abord éduqué, tout en développant sa capacité à distinguer le grain de l'ivraie et à transformer en prose ses observations sur le Paris des années 20. L'oreille, que nous associons plus volontiers à la composition musicale, joue bien évidemment un rôle central dans l'écriture littéraire. Il est significatif que l'écriture de Hemingway ne prenne son ampleur que quand elle est lue à haute voix. Elle est alors si dense que chaque mot a sa juste place, au même titre que chaque note d'une composition musicale. Au cours de ses premières années à Paris, c'est de Gertrude

Stein qu'il a appris la valeur du rythme et des répétitions de mots, et surtout de James Joyce, dont le chef-d'œuvre, *Ulysse*, publié par Sylvia Beach, chez Shakespeare & Company, est un fantastique travail de virtuose sur la prose anglaise, qui ne prend toute sa dimension que quand il est lu à haute voix[18]. L'Œil des débuts et l'oreille renvoie à la nécessité d'affiner toujours davantage son art, un besoin qui faisait partie du credo de Hemingway et qui a informé son travail tout au long de sa vie. Cela suppose certains dons, car il faut au départ un bon œil et une bonne oreille si vous voulez réussir, mais suggère aussi que vous avez besoin d'un vécu solide pour développer vos facultés d'écrivain, et, sous ce rapport, Paris était à l'époque l'endroit rêvé pour Hemingway. De fait, nombreux sont les brouil-lons manuscrits de *Paris est une fête* qui sont remarquablement propres et qui témoignent de façon poignante du talent de Hemingway, même dans ses dernières années. Cette prose immortelle apparaît sur la page sous sa forme achevée telle la déesse Athéna dans son armure sortant de la tête de Zeus.

Le titre finalement retenu pour *Paris est une fête* fut choisi par Mary Hemingway, après la mort de l'auteur. Il n'apparaît à aucun moment dans le manuscrit, mais il lui fut suggéré par A. E. Hotchner, qui se souvient d'Ernest employant l'expression au bar du Ritz, à Paris, un jour de 1950[19]. Le choix de l'orthographe [dans le titre original, *A Moveable Feast*] est en accord avec celui que fait Hemingway de garder le « e » dans tous les mots en « *-ing* » formés à partir de verbes terminés en « e » [par exemple, *comeing*]. Le « ea » de *moveable* a valeur de signature personnelle de l'auteur et introduit par ailleurs une plaisante résonance visuelle avec le « ea » de *feast.* Dans son avant-propos, Patrick Hemingway fait la lumière sur l'emploi du terme « *moveable* » par mon grand-père, autant dans ses écrits qu'à la maison.

Que vous lisiez ces textes pour la première fois ou que vous y reveniez comme on rend visite à un vieil ami, *Paris est une fête* n'a rien perdu de sa fraîcheur. Récemment, je me trouvais à Paris, où j'apportais au Louvre un buste en marbre de l'historien grec Hérodote, propriété du Metropolitan Musueum of Art, qui devait figurer dans une exposition sur Babylone du troisième millénaire avant Jésus-Christ à Alexandre le Grand, puis jusqu'à l'époque où s'est forgé le mythe de cette grande cité, lieu de légende et symbole biblique de la décadence. Je me souvins alors de l'excellente nouvelle de F. Scott Fitzgerald, « Babylone revisitée », dans laquelle l'écrivain présente Paris comme un lieu d'excès, de fêtes sans fin et de décadence tapageuse, à l'époque où Hemingway fit sa connaissance au milieu des années 20, et du visage tout différent qu'offrait la ville à la fin de cette même décennie, pendant la Grande Dépression, quand la carrière de Fitzgerald était sur son déclin[20]. Suite à la faiblesse du dollar et aux difficultés économiques que connaît notre pays à l'heure actuelle, je n'ai pas vu beaucoup de mes compatriotes lors de mon séjour parisien. Alors que pour Hemingway, dans les années 20, « le change était une merveilleuse affaire », la roue a tourné, et la vie des Américains à Paris n'a plus rien de bon marché[21]. Paris a été pour moi (et mon grand-père dit à juste titre que chacun en a une expérience différente) un lieu, exaltant et crucial, de beauté et de lumière, d'histoire et d'art.

Pour mon grand-père, qui faisait alors ses débuts en littérature, Paris était tout simplement le meilleur endroit au monde où travailler, et resta jusqu'au bout sa ville préférée. Vous ne trouverez plus de chevriers menant leurs troupeaux au son d'un pipeau dans les rues de Paris, mais en visitant les lieux sur la Rive gauche dont parle Hemingway, le bar du Ritz ou le jardin du Luxembourg, comme je l'ai fait dernièrement en compagnie de mon épouse, vous aurez une idée de ce à quoi cela pouvait ressembler. Nul besoin, pour ce faire, d'aller jusqu'à Paris : la seule lecture de *Paris est une fête* vous y transportera.

Seán HEMINGWAY

NOTES

1. Mary Hemingway, « The Making of the Book : A Chronicle and A Memoir » [La composition du livre : historique et mémoire], *New York Times Book Review*, 10 mai 1964, pp. 26-27 ; Mary Hemingway, *How It Was* [Comment c'était], New York, Alfred A. Knopf, 1976, pp. 440, 444.

2. Ma mère, Valerie Hemingway, se souvient de mon grand-père lui disant un jour à l'automne 1959, alors qu'elle était secrétaire à Paris, qu'il avait eu l'idée des vignettes parisiennes après les accidents d'avion. Voir Valerie Hemingway, *Running with the Bulls : My Years with the Hemingways* [Courir avec les taureaux, ou Mes années avec les Hemingway], New York, Ballantine, 2004, p. 77. Elle a également aidé à dactylographier le manustcrit de *Paris est une fête.*

3. Pour une étude approfondie et détaillée des manuscrits existants de l'ouvrage, voir Jacqueline Tavernier-Courbin, *Ernest Hemingway's* A Moveable Feast *: The Making of Myth*, Northeastern University Press, Boston 1991. Voir aussi Gerry Brenner, *A Comprehensive Companion to Hemingway's* A Moveable Feast *: Annotation to Interpretation*, 2 vol., The Edwin Mellen Press, Lewiston, NY, 2000, l'étude spécialisée la plus complète à ce jour sur *Paris est une fête* ; l'ouvrage renferme également de nombreux commentaires sur le manuscrit, classés suivant l'ordre chronologique des chapitres.

4. Pour une reproduction de la lettre, voir Brenner, *op cit.* (*supra* note 3), vol. 1, après la page 215.

5. Fonds Hemingway, Bibliothèque et musée présidentiels John F. Kennedy, pièces n°s 188-189.

6. Ernest Hemingway, *A Moveable Feast*, Charles Scribner's Sons, New York, 1964, p. 147.

7. Voir Seán Hemingway éd., *Hemingway on War*, Scribner, New York, 2003, en particulier, p. XXXI ; Michael Reynold, *Hemingway's First War : The Making of* A Farewall to Arms, Princeton University Press, Princeton, 1976.

8. Voir Michael Reynolds, *Hemingway : Paris Years*, W. W. Norton and Co.Limited, New York, 1989, p. 98, note 16.

9. Voir J. Gerald Kennedy, *Imagining Paris : Exile, Writing and American Identity* [Imaginer Paris : exil, écriture et identité

américaine],Yale University Press, New Haven, 1993, notamment pp. 128-137 ; J. Gerald Kennedy, « Hemingway's Gender Trouble » [La confusion des sexes chez Hemingway], *American Literature* 63, 2 (juin 1991), pp. 187-207.

10. Voir, par exemple, « My Pal the Gorilla Gargantua » [Mon pote le gorille Gargantua], *Ken*, 28 juillet 1938, réimprimé dans *Hemingway on Hunting* [Les écrits de Hemingway sur la chasse], Seán Hemingway éd., The Lyons Press, Guilford, CT, 2001, pp. 187-191.

11. Voir, par exemple, Bernard J. Poli, *Ford Madox Ford and the Transatlantic Review*, Syracuse University Press, Syracuse, 1967 ; Arthur Mizener, *The Saddest Story : A Biography of Ford Madox Ford* [Une très triste histoire : biographie de Ford Madox Ford], The World Publishing Company, New York, 1971.

12. Voir George Plimpton, introduction à *Paris est une fête*, The Easton Press, Norwalk, CT, 1990, pp. V-XI.

13. Sur la collection d'art d'Ernest Hemingway, voir Colette C. Hemingway, *In his time : Ernest Hemingway's Collection of Paintings and the Artists He Knew* [En son temps : Ernest Hemingway, sa collection de tableaux et les peintres qu'il a connus], Kilimanjaro Press, Naples, FL, 2009.

14. Dans les archives de la correspondance entre la maison d'édition Charles Scribner's Sons et Hemingway, Princeton University Libraries. Reproduit dans Gerry Brenner, *op. cit.* (*supra*, note 3), vol. 1, p. 215.

15. Michael Reynolds, *op. cit.* (*supra* note 8), p. 115.

16. Dans une lettre, datée du 6 février 1961 et adressée à Harry Brague, son directeur de publication chez Scribner pour l'ouvrage, Hemingway demande un exemplaire de *The Oxford Book of English Verse* [Anthologie Oxford de la poésie anglaise] et un de la Bible, version King James, pour sa « recherche de titres ». Voir George Plimpton, *op. cit.* (*supra* note 12), p. VII.

17. Le sujet est brillamment traité par Colette C. Hemingway, *op. cit.* (*supra* note 13), pp. 1-10.

18. On peut voir dans la salle Hemingway de la bibliothèque John F. Kennedy de Boston l'exemplaire de *Ulysses* que possédait l'auteur, une première édition publiée par Sylvia Beach. Hemingway était très impressionné par l'écrivain qu'était Joyce, et il a probablement vu dans l'autobiographie

de Joyce *A Portrait of the Artist as a Young Man* une œuvre susceptible de préfigurer *Paris est une fête.*

19. A. E. Hotchner, *Papa Hemingway : A Personal Memoir*, Random House, New York, 1966, p. 57.

20. Matthew Broccoli éd., *The Short Stories of F. Scott Fitzgerald*, Charles Scribner's Sons, New York, 1989, pp. 631-648.

21. Ernest Hemingway, « Living on $1 000 a Year in Paris » [Vivre avec mille dollars par an à Paris], *Toronto Star Weekly*, 4 février 1922, *in* William White éd., *Dateline Toronto : The Complete Toronto Star Dispatches, 1920-1924*, Charles Scribner's Sons, New York, 1985, pp. 88-89.

REMERCIEMENTS

Je tiens d'abord à remercier Patrick Hemingway de m'avoir suggéré l'idée de ce livre, de m'en avoir confié la réalisation et de m'avoir accordé sa précieuse collaboration. Cela a été pour moi un rare privilège que de travailler directement sur les manuscrits de mon grand-père. À sa manière, ce projet a été lui aussi une « fête mobile » à laquelle j'ai travaillé en différents endroits et sur plusieurs années. Toute ma reconnaissance va à Michael Katakis, administrateur des droits littéraires au sein du groupe qui gère les droits étrangers du fonds Hemingway, et à Brant Rumble, mon éditeur chez Simon & Schuster. À la bibliothèque John F. Kennedy de Boston, je tiens à rendre hommage, pour leur soutien qui ne s'est jamais démenti, à Deborah Leff, l'ex-conservatrice, et à Tom Putnam, le conservateur actuel, ainsi qu'à Susan Wrynn, responsable de la Collection Hemingway. Sans leur aide bienveillante, le projet n'aurait jamais été mis à exécution. Je remercie également James Hill, des archives audiovisuelles de la bibliothèque Kennedy, pour son aide concernant les supports photographiques, et Peter Duffield pour avoir autorisé l'usage de la photographie qui figure sur la quatrième de couverture[1].

Les connaissances que j'ai accumulées au fil des ans sur mon grand-père et son œuvre proviennent de plusieurs sources. Pour ce projet en particulier, je mets au premier rang des personnes dont je suis débiteur mes parents, Valerie et Gregory Hemingway, ainsi que Carol et Patrick Hemingway, Jack Hemingway et George Plimpton. Je remercie également Joseph et Patricia Czapski, Patrice Czapski, Liisa Kissel et J. Alexander MacGillivray. Lors des recherches préliminaires à cet ouvrage, j'ai eu l'occasion de consulter nombre d'études spécialisées et de livres de souvenirs consacrés au Paris des années 1920, et plusieurs sont cités dans mon introduction. Parmi eux, je retiendrai surtout les véritables monographies que sont les ouvrages de Jacqueline Tavernier-Courbin et de Gerry Brenner, qui resteront les références fondamentales pour toute étude future sur *Paris est une fête.* Enfin, je tiens à exprimer toute ma gratitude à mon âme sœur, ma raison d'être, Colette, qui m'a aidé de mille manières, ainsi qu'à Anouk, arrivée alors que l'entreprise touchait à sa fin, apportant avec elle bonheur et compréhension.

S. H.

1. Ces éléments visuels n'ont pas été repris dans cette édition. *(N.d.É.)*

PARIS EST UNE FÊTE

Un bon café, sur la place Saint-Michel

Et puis, il y avait la mauvaise saison. Elle pouvait faire son apparition du jour au lendemain, à la fin de l'automne. Il fallait alors fermer les fenêtres, la nuit, pour empêcher la pluie d'entrer, et le vent froid arrachait les feuilles des arbres, sur la place de la Contrescarpe. Les feuilles gisaient, détrempées, sous la pluie, et le vent cinglait de pluie les gros autobus verts, au terminus, et le café des Amateurs était bondé derrière ses vitres embuées par la chaleur et la fumée. C'était un café triste et mal tenu, où les ivrognes du quartier s'agglutinaient, et j'en étais toujours écarté par l'odeur de corps mal lavés et la senteur aigre de saoulerie qui y régnaient. Les hommes et les femmes qui fréquentaient Les Amateurs étaient tout le temps ivres ou tout au moins aussi longtemps qu'ils en avaient les moyens, surtout à force de vin qu'ils achetaient par demi-litre ou par litre. Nombre de réclames vantaient des apéritifs aux noms étranges, mais fort peu de clients pouvaient s'offrir le luxe d'en consommer, sauf pour étayer une cuite. Les ivrognesses étaient connues sous le nom de *poivrottes*[1] qui désigne les alcooliques du sexe féminin.

Le café des Amateurs était le tout-à-l'égout de la rue Mouffetard, une merveilleuse rue commerçante, étroite et très passante, qui mène à la place de la Contrescarpe. Les vieilles maisons, divisées en appartements, comportaient, près de l'escalier, un cabinet à la turque par palier, avec, de chaque côté du trou, deux petites plates-formes de ciment en forme de semelle, pour empêcher quelque *locataire* de glisser ; des pompes vidaient les fosses d'aisances pendant la nuit, dans des camions-citernes à chevaux. En été, lorsque toutes les fenêtres étaient ouvertes, nous entendions le bruit des pompes et il s'en dégageait une odeur violente. Les citernes étaient peintes en brun et en safran et, dans le clair de lune, lorsqu'elles remplissaient leur office le long de la rue du Cardinal-Lemoine, leurs cylindres montés sur roues et tirés par des chevaux évoquaient des tableaux de Braque. Aucune ne vidait pourtant le café des Amateurs où les dispositions et les sanctions contenues dans la loi concernant la répression de l'ivresse publique s'étalaient sur une affiche jaunie, couverte de chiures de mouches, et pour laquelle les consommateurs manifestaient un dédain à la

1. Les mots et expressions en italique sont en français dans le texte. *(N.d.T.)*

mesure de leur saoulerie perpétuelle et de leur puanteur.

Toute la tristesse de la ville se révélait soudain, avec les premières pluies froides de l'hiver, et les toits des hauts immeubles blancs disparaissaient aux yeux des passants et il n'y avait plus que l'opacité humide de la nuit et les portes fermées des petites boutiques, celles de l'herboriste, du papetier et du marchand de journaux, la porte de la sage-femme — de deuxième classe — et celle de l'hôtel où était mort Verlaine et où j'avais une chambre, au dernier étage, pour y travailler.

Ce dernier étage était le sixième ou le huitième de la maison ; il y faisait très froid, et je savais combien coûteraient un paquet de margotins, trois bottes de petit bois lié par un fil de fer et pas plus longues qu'un demi-crayon, pour alimenter la flamme des margotins et enfin un fagot de bûches à moitié humides qu'il me faudrait acheter pour faire du feu et chauffer la chambre. Je me dirigeai donc vers le trottoir opposé pour examiner le toit, de bas en haut, afin de voir si quelque cheminée fumait et dans quelle direction s'envolait la fumée. Mais il n'y avait aucune fumée et j'imaginai combien la cheminée devait être froide et ce qui se passerait si elle ne tirait pas et si la chambre se remplissait de fumée, de sorte que je perdrais et mon combustible et mon argent par la même occasion, et je me remis en route sous la pluie. En descendant la rue, je dépassai le lycée Henri-IV et la vieille église Saint-Étienne-du-Mont et la place venteuse du Panthéon, tournai à droite, en quête d'un abri et finalement parvins au boulevard Saint-Michel, sur le trottoir protégé du vent, et je poursuivis mon chemin, descendant au-delà de Cluny, traversant ensuite le boulevard Saint-Germain, jusqu'à un bon café, connu de moi, sur la place Saint-Michel.

C'était un café plaisant, propre et chaud et hospitalier, et je pendis mon vieil imperméable au portemanteau pour le faire sécher, j'accrochai mon feutre usé et délavé à une patère audessus de la banquette, et commandai un *café au lait.* Le garçon me servit et je pris mon cahier dans la poche de ma veste, ainsi qu'un crayon, et me mis à écrire. J'écrivais une histoire que je situais, là-haut, dans le Michigan, et comme la journée était froide et dure, venteuse, je décrivais dans le conte une journée toute semblable. J'avais assisté successivement à bien des fins d'automne, lorsque j'étais enfant, puis adolescent, puis jeune homme, et je savais qu'il est certains endroits où l'on peut en parler mieux qu'ailleurs. C'est ce que l'on appelle se transplanter, pensai-je, et une transplantation peut être aussi nécessaire aux hommes qu'à n'importe quelle autre sorte de créature vivante. Mais, dans le conte, je décrivais des garçons en train de lever le coude, et cela me donna soif et je commandai un rhum Saint-James. La saveur en était merveilleuse par cette froide soirée et je continuai à écrire, fort à l'aise déjà, le corps et l'esprit tout réchauffés par ce bon rhum de la Martinique.

Une fille entra dans le café et s'assit, toute seule, à une table près de la vitre. Elle était très jolie, avec un visage aussi frais qu'un sou neuf, si toutefois l'on avait frappé la monnaie dans de la chair lisse recouverte d'une peau toute fraîche de pluie, et ses cheveux étaient noirs comme l'aile du corbeau et coupés net et en diagonale à hauteur de la joue.

Je la regardai et cette vue me troubla et me mit dans un grand état d'agitation. Je souhaitai pouvoir mettre la fille dans ce conte ou dans un autre, mais elle s'était placée de telle façon qu'elle pût surveiller la rue et l'entrée du café, et je compris qu'elle attendait quelqu'un. De sorte que je me remis à écrire.

Le conte que j'écrivais se faisait tout seul et j'avais même du mal à suivre le rythme qu'il m'imposait. Je commandai un autre rhum Saint-James et, chaque fois que je levais les yeux, je regardais la fille, notamment quand je taillais mon crayon avec un taille-crayon tandis que les copeaux bouclés tombaient dans la soucoupe placée sous mon verre.

Je t'ai vue, mignonne, et tu m'appartiens désormais, quel que soit celui que tu attends et même si je ne dois plus jamais te revoir, pensais-je. Tu m'appartiens et tout Paris m'appartient, et j'appartiens à ce cahier et à ce crayon.

Puis je me remis à écrire et m'enfonçai dans mon histoire et m'y perdis. C'était moi qui l'écrivais, maintenant, elle ne se faisait plus toute seule et je ne levai plus les yeux, j'oubliai l'heure et le lieu et ne commandai plus de rhum Saint-James. J'en avais assez du rhum Saint-James, à mon insu d'ailleurs.

Puis le conte fut achevé et je me sentis très fatigué. Je relus le dernier paragraphe et levai les yeux et cherchai la fille, mais elle était partie. J'espère qu'elle est partie avec un type bien, pensai-je. Mais je me sentais triste.

Je refermai le cahier sur mon récit et enfouis le tout dans la poche intérieure de ma veste, et je demandai au garçon une douzaine de *portugaises* et une demi-carafe de son vin blanc sec. Après avoir écrit un conte je me sentais toujours vidé, mais triste et heureux à la fois, comme après avoir fait l'amour, et j'étais sûr que j'avais fait du bon travail ; toutefois je n'en aurais la confirmation que le lendemain en revoyant ce que j'avais écrit.

Pendant que je mangeais mes huîtres au fort goût de marée, avec une légère saveur métallique que le vin blanc frais emportait, ne laissant que l'odeur de la mer et une savoureuse sensation sur la langue, et pendant que je buvais le liquide frais de chaque coquille et savourais ensuite le goût vif du vin, je cessai de me sentir vidé et commençai à être heureux et à dresser des plans.

Maintenant que la mauvaise saison était revenue, nous pourrions quitter Paris pour quelque temps et nous réfugier en quelque endroit où, au lieu de la pluie, la neige tomberait entre les pins, recouvrant la route et les hautes pentes, et à une altitude où nous pourrions l'entendre craquer, le soir, sous nos pas, au retour de nos promenades. En deçà des Avants, il y avait un chalet où l'on pouvait prendre pension et être admirablement soigné, et où nous pourrions vivre ensemble, et emporter nos vieux livres, et passer les nuits, tous deux, bien au chaud, dans le lit, devant la fenêtre ouverte et les étoiles étincelantes. C'était là que nous pourrions aller.

J'abandonnerais la chambre d'hôtel où j'écrivais et n'aurais à payer que l'infime loyer de l'appartement, 74, rue du Cardinal-Lemoine. J'avais publié des articles dans un journal de Toronto, dont j'attendais le paiement. Je pourrais faire cette sorte de travail n'importe où et dans n'importe quelles conditions et nous avions assez d'argent pour le voyage.

Peut-être, loin de Paris, pourrais-je écrire sur Paris, comme je pouvais écrire à Paris sur le Michigan. Je ne savais pas que c'était encore trop tôt parce que je ne connaissais pas encore assez bien Paris. Mais c'est ainsi que je voyais les choses, en l'occurrence. De toute façon, nous partirions si ma femme était d'accord ; je finis de déguster mes huîtres et le vin et réglai l'addition, et rentrai par le plus court chemin, en remontant la Montagne Sainte-Geneviève, sous la pluie. Ce n'était plus, pour moi, que le mauvais temps parisien, et il n'y avait pas de quoi changer ma vie ; je parvins au plateau, sur le sommet de la colline.

« Je crois que ce serait merveilleux, Tatie », dit ma femme. Elle avait un visage joliment modelé, et ses yeux et son sourire s'illuminaient comme si mes projets étaient autant de présents que je lui offrais. « Quand partons-nous ?

— Quand tu voudras.

— Oh ! je veux partir tout de suite. Tu ne t'en doutais pas ?

— Peut-être qu'il fera beau et que le temps sera clair, quand nous reviendrons. Il peut faire très beau si le temps est froid et sec.

— Je suis sûre qu'il fera beau, dit-elle. Tu es tellement gentil d'avoir pensé à ce voyage. »

Miss Stein fait la leçon

Quand nous rentrâmes à Paris, le temps était sec et froid et délicieux. La ville s'était adaptée à l'hiver, il y avait du bon bois en vente chez le marchand de bois et de charbon, de l'autre côté de la rue, et il y avait des braseros à la terrasse de beaucoup de bons cafés pour tenir les consommateurs au chaud. Notre propre appartement était chaud et gai. Dans la cheminée nous brûlions des *boulets,* faits de poussière de charbon agglomérée et moulée en forme d'œufs, et dans les rues la lumière hivernale était merveilleuse. On s'habituait à voir se détacher les arbres dépouillés sur le fond du ciel, et l'on marchait sur le gravier fraîchement lavé, dans les allées du Luxembourg, sous le vent sec et coupant. Pour qui s'était réconcilié avec ce spectacle, les arbres sans feuilles ressemblaient à autant de sculptures, et les vents d'hiver soufflaient sur la surface des bassins et les fontaines soufflaient leurs jets d'eau dans la lumière brillante. Toutes les distances nous paraissaient courtes, à notre retour de la montagne.

À cause du changement d'altitude, je ne me rendais plus compte de la pente des collines, sinon pour prendre plaisir à l'ascension, et j'avais même plaisir à grimper jusqu'au dernier étage de l'hôtel, où je travaillais dans une chambre qui avait vue sur tous les toits et les cheminées de la haute colline de mon quartier. La cheminée tirait bien dans la chambre, où il faisait chaud et où je travaillais agréablement. J'apportais des mandarines et des marrons grillés dans des sacs en papier et j'épluchais et mangeais de petites oranges semblables à des mandarines et jetais leurs écorces et crachais les pépins dans le feu tout en les mangeant, ainsi que les marrons grillés, quand j'avais faim. J'avais toujours faim à cause de la marche et du froid et du travail. Là-haut, dans la chambre, j'avais une bouteille de kirsch que nous avions rapportée de la montagne et je buvais une rasade de kirsch quand j'arrivais à la conclusion d'un conte ou vers la fin d'une journée de travail. Quand j'avais achevé le travail de la journée, je rangeais mon cahier ou mes papiers dans le tiroir de la table et fourrais dans mes poches les oranges qui restaient. Elles auraient gelé si je les avais laissées dans la chambre pendant la nuit.

C'était merveilleux de descendre l'interminable escalier en pensant que j'avais eu de la chance dans mon travail. Je travaillais toujours jusqu'au moment où j'avais entièrement achevé un passage et m'arrêtais quand j'avais trouvé la suite. Ainsi, j'étais sûr de pouvoir poursuivre le lendemain. Mais parfois, quand je commençais un nouveau récit et ne pouvais le mettre en train, je m'asseyais devant le feu et pressais la pelure d'une des petites oranges au-dessus de la flamme et contemplais son crépitement bleu. Ou bien je me levais et regardais les toits de Paris et pensais : « Ne t'en fais pas. Tu as toujours écrit jusqu'à présent, et tu continueras. Ce qu'il faut c'est écrire une seule phrase vraie. Écris la phrase la plus vraie que tu connaisses. » Ainsi, finalement, j'écrivais une phrase vraie et continuais à partir de là. C'était facile parce qu'il y avait toujours quelque phrase vraie que j'avais lue ou entendue ou que je connaissais. Si je commençais à écrire avec art, ou comme quelqu'un qui annonce ou présente quelque chose, je constatais que je pouvais aussi bien déchirer cette fioriture ou cette arabesque et la jeter au panier et commencer par la première affirmation simple et vraie qui était venue sous ma plume. Là-haut, dans ma chambre, je décidai que j'écrirais une histoire sur chacun des sujets que je connaissais. Je tâchai de m'en tenir là pendant tout le temps que je passais à écrire et c'était une discipline sévère et utile.

C'est dans cette chambre que j'appris à ne pas penser à mon récit entre le moment où je cessais d'écrire et le moment où je me remettais au travail, le lendemain. Ainsi, mon subconscient était à l'œuvre et en même temps je pouvais écouter les gens et tout voir, du moins je l'espérais ; je m'instruirais, de la sorte ; et je lirais aussi afin de ne pas penser à mon œuvre au point de devenir incapable de l'écrire. En descendant l'escalier, quand j'avais bien travaillé, aidé par la chance autant que par ma discipline, je me sentais merveilleusement bien et j'étais libre de me promener n'importe où dans Paris.

Si je descendais, par des rues toujours différentes, vers le jardin du Luxembourg, l'après-midi, je pouvais marcher dans les allées, et ensuite entrer au musée du Luxembourg où se trouvaient des tableaux dont la plupart ont été transférés au Louvre ou au Jeu de Paume. J'y allais presque tous les jours pour les Cézanne et pour voir les Manet et les Monet et les autres Impressionnistes que j'avais découverts pour la première fois à l'Institut artistique de Chicago. Les tableaux de Cézanne m'apprenaient qu'il ne me suffirait pas d'écrire des phrases simples et vraies pour que mes œuvres acquièrent la dimension que je tentais de leur donner. J'apprenais beaucoup de choses en contemplant les Cézanne mais je ne savais pas m'exprimer assez bien pour l'expliquer à quelqu'un. En outre, c'était un secret. Mais s'il n'y avait pas assez de lumière au Luxembourg, je traversais le jardin et gagnais le studio où vivait Gertrude Stein, 27, rue de Fleurus.

Ma femme et moi avions été nous présenter à Miss Stein, et celle-ci, ainsi que l'amie qui vivait avec elle, s'était montrée très cordiale et amicale et nous avions adoré le vaste studio et les beaux tableaux : on eût dit l'une des meilleures salles dans le plus beau musée, sauf qu'il y avait une grande cheminée et que la pièce était chaude et confortable et qu'on s'y voyait offrir toutes sortes de bonnes choses à manger et du thé et des alcools naturels, fabriqués avec des prunes rouges ou jaunes ou des baies sauvages. C'étaient des liqueurs odorantes, incolores, renfermées en des carafons de cristal taillé, et servies dans de petits verres, et qu'il s'agît de *quetsche*, de *mirabelle* ou de *framboise*, toutes avaient le parfum du fruit dont elles étaient tirées, converti en un feu bien entretenu sur votre langue, pour la délier et vous réchauffer.

Miss Stein était très forte, mais pas très grande, lourdement charpentée comme une paysanne. Elle avait de beaux yeux et un visage rude de juive allemande, qui aurait aussi bien pu être *friulano*, et elle me faisait penser à quelque paysanne du nord de l'Italie par la façon dont elle était habillée, par son visage expressif, et sa belle chevelure, lourde, vivante, une chevelure d'immigrante, qu'elle relevait en chignon, sans doute depuis le temps où elle était à l'université. Elle parlait sans cesse et surtout des gens et des lieux.

Sa compagne, qui avait une voix très agréable, était petite, très brune, avec des cheveux coiffés à la Jeanne d'Arc — comme sur les tableaux de Boutet de Monvel — et un nez très crochu. Elle travaillait à une tapisserie la première fois que nous la vîmes, et tout en s'occupant de son ouvrage elle veillait à la nourriture et à la boisson et bavardait avec ma femme. Elle pouvait entretenir une conversation et en suivre deux autres en même temps tout en interrompant souvent l'une de ces dernières. Elle m'expliqua ensuite qu'elle faisait toujours la conversation avec les épouses. Les épouses, comme ma femme et moi le comprîmes aussitôt, n'étaient que tolérées. Mais nous aimions Miss Stein et son amie, bien que cette amie fût terrifiante. Les tableaux et les gâteaux et l'*eau-de-vie* étaient de vraies merveilles. Les deux hôtesses semblaient nous avoir pris en sympathie, elles aussi, et nous traitaient comme des enfants très sages et bien élevés dont on pouvait beaucoup attendre, et je sentis qu'elles nous pardonnaient d'être mariés et amoureux — le temps arrangerait cela — et, lorsque ma femme les convia à prendre le thé, elles acceptèrent.

Elles semblèrent nous aimer plus encore lorsqu'elles vinrent nous voir dans notre appartement : peut-être en raison de l'exiguïté des lieux qui nous rapprochait davantage. Miss Stein s'assit sur le lit, posé à même le plancher, et demanda à voir les nouvelles que j'avais écrites et elle dit qu'elle les aimait, sauf celle que j'avais intitulée : *Là-haut, dans le Michigan.*

« C'est bon, dit-elle, il n'y a pas de doute là-dessus. Mais c'est *inaccrochable.* Je veux dire que c'est comme un tableau peint par un artiste qui ne peut pas l'accrocher dans une exposition et personne ne l'achètera non plus parce que nul ne trouvera un endroit où l'accrocher.

— Mais pourquoi, s'il n'y a rien de grossier dans le texte et si l'on essaie simplement d'utiliser les mots dont tout le monde se sert dans la vie courante ? Si ce sont les seuls mots qui peuvent introduire de la vérité dans un récit, et s'il est nécessaire de les utiliser, il faut les utiliser ?

— Mais vous n'y êtes pas du tout, dit-elle. Vous ne devez rien écrire qui soit *inaccrochable.* Cela ne mène à rien. C'est une erreur et une bêtise. »

« Je vois », dis-je. Je n'étais absolument pas d'accord, mais chacun son opinion, et puis je n'aimais pas contredire mes aînés. Je préférais de beaucoup les écouter, et Gertrude avait quantité de choses fort intelligentes à dire. Elle me confia que tôt ou tard il me faudrait laisser tomber le journalisme et, sur ce point, je ne pouvais qu'abonder dans son sens. Elle voulait elle-même être publiée dans l'*Atlantic Monthly*, me dit-elle, et elle y parviendrait. Elle me dit aussi que je n'étais pas un assez bon écrivain pour être publié dans cette revue ou dans le *Saturday Evening Post*, mais que je pourrais devenir un écrivain d'un genre nouveau, à ma façon, mais que la première chose que je devais retenir, c'était de ne rien écrire qui fût *inaccrochable.* Je n'en discutai pas et ne tentai pas non plus de lui expliquer à nouveau ce que je tentais de faire en matière de dialogues. C'était ma propre affaire et je préférais de beaucoup écouter. Cet après-midi-là, elle nous apprit aussi comment acheter des tableaux.

« Vous pouvez acheter soit des vêtements, soit des tableaux, dit-elle. C'est tout le problème. Sauf les gens très riches, personne ne peut acheter à la fois les uns et les autres. Ne faites pas attention à la façon dont vous êtes habillés et encore moins à la mode, et achetez des vêtements qui soient solides et confortables, et l'argent que vous aurez économisé vous servira à l'achat des tableaux.

— Mais même si je n'achetais plus jamais un seul costume, dis-je, je n'aurais jamais assez d'argent pour acheter le Picasso dont j'ai envie.

— Non, il n'est pas dans vos prix. Achetez les tableaux d'artistes de votre âge — des gens qui ont fait leurs classes, dans l'armée, en même temps que vous. Vous ferez leur connaissance. Vous en rencontrerez dans le quartier. Il y a toujours de bons peintres parmi les jeunes. Mais il ne s'agit pas tant de vos costumes à vous que des robes de votre femme. Ce sont les vêtements de femme qui coûtent cher. »

Je remarquai que ma femme s'efforçait de ne pas examiner les étranges oripeaux de Miss Stein, et elle parvint à se contenir. Quand nos visiteuses nous quittèrent, nous étions toujours bien en cour, pensai-je, et nous fûmes conviés à retourner au 27 rue de Fleurus.

Il se passa du temps avant que je fusse invité à me rendre au studio à n'importe quel moment après cinq heures, en hiver. J'avais rencontré Miss Stein au Luxembourg. Je ne me rappelle plus si elle promenait son chien ou non, ni si elle avait un chien en ce temps-là. Je sais que je me promenais moi-même, car nous ne pouvions pas nous payer un chien, alors, ni même un chat, et les seuls chats que je connaissais étaient ceux des cafés ou des petits restaurants, ou les gros chats que j'admirais à la fenêtre des loges de concierge. Plus tard, je rencontrai souvent Miss Stein avec son chien dans le jardin du Luxembourg, mais je crois que cette fois-là elle n'en avait pas encore.

J'acceptai donc son invitation, avec ou sans chien, et pris l'habitude de lui rendre visite, dans son studio, et elle m'offrait toujours quelque *eau-de-vie* fruitée, insistant pour remplir plusieurs fois mon verre, et je regardais les tableaux et nous bavardions. Les peintures étaient fort intéressantes et la conversation très instructive. C'était elle qui parlait surtout et elle m'initiait à la peinture et aux peintres modernes — insistant davantage sur la personnalité de ceux-ci que sur leur art — et commentait ses propres œuvres. Elle me montra de nombreux manuscrits qu'elle avait rédigés, et que sa compagne dactylographiait chaque jour. Écrire chaque jour la rendait heureuse, mais quand je la connus mieux, je compris que pour rester heureuse il lui faudrait bientôt voir publier le produit de son travail quotidien et persévérant — dont le volume variait d'ailleurs selon son énergie à l'ouvrage — et obtenir quelque consécration.

La situation n'était pas dramatique quand je fis la connaissance de Miss Stein, car elle avait publié trois nouvelles, aisément compréhensibles pour n'importe quel lecteur. L'une de ces nouvelles, *Melanctha*, était excellente, et des échantillons significatifs de ses œuvres expérimentales avaient été publiés sous forme de recueil et avaient été favorablement accueillis par des critiques qui l'avaient rencontrée ou la connaissaient. Elle avait une telle personnalité qu'elle pouvait mettre n'importe qui de son côté, si elle le voulait, et qu'on ne pouvait lui résister, et les critiques qui l'avaient rencontrée ou qui avaient vu sa collection de tableaux prenaient ses œuvres au sérieux, même s'ils n'y comprenaient rien, tant ils étaient enthousiasmés par sa personne et avaient confiance en son jugement. Elle avait aussi découvert plusieurs vérités relatives au rythme et à l'emploi des répétitions ; ces découvertes étaient valables et utiles et elle en parlait avec persuasion.

Mais elle n'aimait ni peiner sur les corrections, ni rendre sa prose intelligible, malgré son vif désir d'être publiée et d'obtenir une consécration officielle, tout particulièrement pour l'un de ses livres, incroyablement long, intitulé *Américains d'Amérique.*

Le début de ce livre était merveilleux et la suite était très bonne, jusqu'à un certain point, avec des morceaux extrêmement brillants, mais tout cela aboutissait à des répétitions interminables qu'un écrivain plus consciencieux ou moins paresseux aurait jetées dans la corbeille à papier. J'en vins à le connaître très bien, car j'incitai — obligeai plutôt — Ford Madox Ford à le publier en feuilletons dans la *Transatlantic Review,* tout en sachant que la vie de la revue ne pourrait suffire à la publication. Il me fallut relire toutes les épreuves d'imprimerie moi-même, car c'était là un travail dont Miss Stein ne tirait aucune satisfaction.

Mais en ce jour froid où j'avais dépassé la loge du concierge et traversé la cour froide pour me réfugier dans la chaleur du studio, rien de tout cela n'était encore arrivé et il s'en fallait de plusieurs années. Cet après-midi-là, donc, Miss Stein faisait mon éducation en matière de vie sexuelle. À cette époque, nous étions très liés et j'avais déjà appris que tout ce que je ne comprenais pas avait sans doute quelque rapport avec la sexualité. Miss Stein pensait que j'étais trop ignare en la matière et je dois admettre que j'entretenais certains préjugés contre l'homosexualité, n'en ayant jamais eu qu'une connaissance fort primaire. Je savais que c'était la raison pour laquelle il fallait avoir un couteau et pouvoir s'en servir quand on se trouvait avec des vagabonds, lorsqu'on était encore un jeune garçon, à une époque où le mot « dragueur » ne désignait pas encore, en argot, l'homme obsédé par le désir d'une femme. Je connaissais bien des expressions et des mots *inaccrochables* que j'avais appris à Kansas City, ou des coutumes en usage dans certains quartiers de Chicago et sur les bateaux des Grands Lacs. Sous prétexte de l'interroger, j'essayai d'expliquer à Miss Stein qu'un jeune garçon, fourvoyé dans la compagnie des hommes, doit se sentir prêt à tuer un homme, et savoir comment le faire, et savoir aussi qu'il peut être vraiment amené à le faire pour ne pas être « embêté » par des hommes. Ce terme était *accrochable.* Si vous vous savez prêt à tuer, les autres le sentent très vite et vous laissent tranquille. Mais il est certaines situations dans lesquelles il ne faut pas se laisser mettre ni s'enferrer. J'aurais pu m'exprimer de façon plus claire, en employant un dicton *inaccrochable* que les dragueurs citaient sur les bateaux des Grands Lacs : « Suffit pas de baiser, faut garer son cul. » Mais je surveillais toujours mon langage devant Miss Stein, même lorsqu'une phrase vraie aurait pu mettre en lumière ou mieux exprimer un préjugé.

« Oui, oui, Hemingway, dit-elle. Mais vous viviez au milieu de criminels et d'hommes pervertis. »

Je ne voulus pas en discuter, mais je pensai que j'avais vécu dans le monde tel qu'il est, où l'on trouve toujours toutes sortes de gens, et que j'avais essayé de les comprendre, même si je n'éprouvais aucune sympathie pour certains d'entre eux et haïssais même certains autres.

« Qu'auriez-vous dit de ce vieux monsieur qui avait de si belles manières et un grand nom et qui venait me voir à l'hôpital, en Italie, m'apportait une bouteille de marsala ou de campari et se conduisit de façon irréprochable jusqu'au jour où je dus demander à l'infirmière de ne plus le laisser entrer dans ma chambre ?

— Ces gens sont des malades et n'ont aucun empire sur eux-mêmes. Vous devriez en avoir pitié.

— Dois-je avoir pitié d'Untel ? demandai-je. (Je le désignai par son nom ce jour-là, mais il a tant de plaisir à se faire connaître lui-même que je n'éprouve pas le besoin de le nommer ici.)

— Non. Il est vicieux. C'est un corrupteur et il a le vice chevillé au corps.

— Mais on le tient pour un bon écrivain.

— On se trompe, dit-elle. Ce n'est qu'un cabotin ; il aime la corruption pour le plaisir de corrompre et il initie ses victimes à d'autres vices encore — la drogue, par exemple.

— Et ce Milanais dont je devrais avoir pitié, n'essayait-il pas de me corrompre ?

— Ne soyez pas stupide. Comment pouvait-il espérer vous corrompre ? Est-ce qu'on peut corrompre un grand buveur comme vous, avec une bouteille de marsala ? Non, c'était un pauvre vieil homme pitoyable qui ne pouvait s'empêcher de faire ce qu'il faisait. Il était malade et n'y pouvait rien, et vous devriez avoir pitié de lui.

— J'ai eu pitié, à l'époque, dis-je. Mais il m'a déçu parce qu'il avait de si belles manières. »

Je bus une autre gorgée d'*eau-de-vie* et j'eus pitié du vieil homme et levai les yeux vers un nu de Picasso, La fille au panier de fleurs. Ce n'était pas moi qui avais pris l'initiative de la conversation, et je pensais qu'elle devenait un peu dangereuse. Il n'y avait presque jamais de temps morts au cours d'une conversation avec Miss Stein, mais, cette fois, nous avions cessé de parler et elle avait quelque chose à me dire et je remplis mon verre.

« Vous ne savez vraiment rien de ces choses, Hemingway, dit-elle. Vous n'avez rencontré que des criminels, des malades ou des vicieux notoires. Ce qui importe, c'est que l'acte commis par les homosexuels mâles est laid et répugnant ; et après ils se dégoûtent eux-mêmes. Ils boivent ou se droguent pour y remédier, mais l'acte les dégoûte et ils changent tout le temps de partenaire et ne peuvent jamais être vraiment heureux.

— Je vois.

— Pour les femmes, c'est le contraire. Elles ne font rien qui puisse les dégoûter, rien qui soit répugnant ; et après, elles sont heureuses et peuvent vivre heureuses ensemble.

— Je vois. Mais que diriez-vous d'Une telle ?

— C'est une vicieuse. Elle est vraiment vicieuse, de sorte qu'elle ne peut jamais être heureuse si elle ne fait sans cesse de nouvelles conquêtes. Elle corrompt les êtres.

— Je comprends.

— Vous êtes certain de comprendre ? »

J'avais tant de choses à comprendre, en ce temps-là, que je fus heureux de changer de sujet.

Le parc était fermé et je dus longer les grilles et en faire le tour par la rue de Vaugirard. Le parc fermé et verrouillé semblait triste et j'étais triste moi-même d'avoir à le contourner au lieu de le traverser en hâte pour rentrer chez moi, rue du Cardinal-Lemoine. La journée avait si bien commencé. Le lendemain je travaillerais dur. Le travail guérissait presque tout. C'est ce que je croyais alors, et je le crois toujours. Je pensai que, selon Miss Stein, je devais me guérir de ma jeunesse et de mon amour pour ma femme. Je n'étais plus triste en arrivant chez moi, rue du Cardinal-Lemoine, et je fis part de mes nouvelles connaissances à ma femme. Mais, cette nuit-là, nous fûmes heureux, grâce à nos propres connaissances antérieures et à quelques nouvelles connaissances que nous avions acquises à la montagne.

Shakespeare and Company

En ce temps-là, je n'avais pas d'argent pour acheter des livres. Je les empruntais à la bibliothèque de prêt de « Shakespeare and Company » ; la bibliothèque-librairie de Sylvia Beach, 12, rue de l'Odéon, mettait en effet, dans cette rue froide, balayée par le vent, une note de chaleur et de gaieté, avec son grand poêle, en hiver, ses tables et ses étagères garnies de livres, sa devanture réservée aux nouveautés et, aux murs, les photographies d'écrivains célèbres, morts ou vivants. Les photographies semblaient être toutes des instantanés, et même les auteurs défunts y semblaient encore pleins de vie. Sylvia avait un visage animé, aux traits aigus, des yeux bruns aussi vifs que ceux d'un petit animal et aussi pétillants que ceux d'une jeune fille, et des cheveux bruns ondulés qu'elle coiffait en arrière, pour dégager son beau front, et qui formaient une masse épaisse, coupée net au-dessous des oreilles, à la hauteur du col de la jaquette en velours sombre qu'elle portait alors. Elle avait de jolies jambes. Elle était aimable, joyeuse et pleine de sympathie pour tous, et friande de plaisanteries et de potins. Je n'ai jamais connu personne qui se montrât aussi gentil envers moi.

J'étais très intimidé quand j'entrai pour la première fois dans la librairie et n'avais même pas assez d'argent sur moi pour m'inscrire à la bibliothèque de prêt. Sylvia me dit que je pourrais verser le montant du dépôt de garantie quand j'en aurais les moyens, et me donna ma carte, et me dit que je pourrais emporter autant de livres que je voudrais.

Elle n'avait aucune raison de me faire confiance. Elle ne me connaissait pas, et l'adresse que je lui avais donnée, 74, rue du Cardinal-Lemoine, était, certes, des plus misérables. Mais Sylvia était délicieuse et charmante et hospitalière, et derrière elle, du haut en bas des murs, et en profondeur jusqu'à l'arrière-boutique qui prenait jour sur la cour intérieure de l'immeuble, il y avait, sur des étagères et des étagères, toutes les richesses de sa bibliothèque. Je commençai par Tourgueniev et pris les deux volumes des *Récits d'un chasseur* ainsi que l'un des premiers livres de D. H. Lawrence, je crois que c'était *Amants et Fils*, et Sylvia me dit de prendre d'autres livres encore si je voulais. Je choisis *Guerre et Paix* dans l'édition de Constance Garnett et *Le Joueur et autres contes* de Dostoïevski.

« Vous ne reviendrez guère avant longtemps si vous lisez tout cela, dit Sylvia.

— Je reviendrai payer, dis-je, j'ai de l'argent chez moi.

— Ce n'est pas ce que je voulais dire, répondit-elle, vous paierez quand cela vous conviendra.

— Quand Joyce vient-il ? demandai-je.

— Quand il vient, c'est généralement très tard dans l'après-midi, dit-elle. Vous ne l'avez encore jamais vu ?

— Nous l'avons vu déjeuner en famille chez Michaud, dis-je, mais il n'est pas poli de regarder les gens pendant qu'ils mangent, et Michaud est un restaurant cher.

— Vous prenez vos repas chez vous ?

— Souvent, en ce moment, dis-je. Nous avons une bonne cuisinière.

— Il n'y a pas de restaurant à proximité dans votre quartier, n'est-ce pas ?

— Non, comment le savez-vous ?

— Larbaud y a vécu, dit-elle, il aimait beaucoup le quartier, à ce détail près.

— Pour trouver un bon restaurant, pas cher, il faut aller jusqu'au Panthéon.

— Je ne connais pas ce quartier. Nous prenons nos repas à la maison. Vous et votre femme devriez venir un de ces jours.

— Attendez de voir si je vous paie, dis-je. Merci beaucoup quand même.

— Ne lisez pas trop vite », dit-elle.

Notre foyer, rue du Cardinal-Lemoine, était un appartement de deux pièces, sans eau chaude courante, ni toilettes, sauf un seau hygiénique, mais non pas entièrement dépourvu de confort pour qui était habitué aux cabanes du Michigan. C'était un appartement gai et riant, avec une belle vue, un bon matelas et un confortable sommier posé à même le plancher et des tableaux que nous aimions, accrochés aux murs. Quand je rentrai, ce jour-là, avec mes livres, je parlai à ma femme de la merveilleuse librairie que j'avais découverte.

« Mais, Tatie, il faut aller payer dès cet après-midi, dit-elle.

— Bien sûr, dis-je. Allons-y ensemble, et ensuite nous irons nous promener le long des quais.

— Descendons par la rue de Seine pour voir toutes les galeries de tableaux et les devantures des magasins.

— Bien sûr. Nous pouvons aller n'importe où et nous arrêter dans un café où l'on ne nous connaîtra pas et où nous ne connaîtrons personne, pour prendre un verre.

— On pourra prendre deux verres.

— Et puis on pourra manger quelque part.

— Non. N'oublie pas que tu dois de l'argent à la librairie.

— Bon. Nous rentrerons dîner ici et nous ferons un gentil repas avec du vin de Beaune qu'on pourra acheter à la coopérative d'en face. On voit d'ici, par la fenêtre, le prix marqué à la devanture. Et après, nous lirons et nous irons nous coucher et nous ferons l'amour.

— Et nous n'aimerons jamais personne d'autre que toi et moi.

— Non. Jamais.

— Quel bon après-midi et quelle bonne soirée ! Maintenant on ferait mieux de déjeuner.

— J'ai très faim, dis-je. J'ai travaillé dans un café et n'ai pris qu'un *café crème.*

— Comment est-ce que ça a marché, Tatie ?

— Je crois que c'est bien. Je l'espère. Qu'est-ce que nous avons pour déjeuner ?

— Des petits radis et du bon *foie de veau* avec de la purée de pommes de terre et une salade d'endives. Une tarte aux pommes.

— Et nous pourrons lire tous les livres du monde et même les emporter si nous partons en voyage.

— Est-ce que ce serait honnête ?

— Bien sûr.

— Est-ce qu'elle a Henry James aussi ?

— Bien sûr.

— Seigneur ! dit-elle. Quelle chance que tu aies découvert cet endroit.

— Nous avons toujours de la chance », dis-je, et comme un imbécile je ne touchai pas de bois. Et dire qu'il y avait partout du bois à toucher dans cet appartement.

Les gens de la Seine

Il y avait plusieurs chemins pour descendre du haut de la rue du Cardinal-Lemoine à la Seine. Le plus court était de suivre la rue, tout simplement, mais elle était raide et, une fois en terrain plat, lorsque vous aviez traversé le bas du boulevard Saint-Germain, très encombré en cet endroit, vous débouchiez sur une partie morne et venteuse des quais, avec la Halle aux vins à votre droite. Cette halle ne ressemblait à aucun autre marché de Paris ; c'était une sorte d'entrepôt où les vins étaient emmagasinés moyennant le paiement d'une taxe, et son aspect était aussi gai que l'abord d'une caserne ou d'un camp de détenus.

Mais de l'autre côté du bras de la Seine, se trouve l'île Saint-Louis avec ses rues étroites, ses vieilles maisons hautes et majestueuses, et vous pouviez vous y rendre directement ou bien tourner à gauche et longer le fleuve, face à l'île Saint-Louis, à Notre-Dame et à l'île de la Cité.

Dans les boîtes des bouquinistes, il était possible de trouver parfois des livres américains tout récemment parus et à des prix dérisoires. Au-dessus de La Tour d'Argent, il y avait en ce temps-là quelques chambres que le restaurateur louait à des gens qui bénéficiaient alors de conditions spéciales au restaurant. Et si les locataires laissaient derrière eux quelques livres, en partant, le *valet de chambre* allait les vendre à une bouquiniste toute proche, chez qui on pouvait les acquérir pour trois fois rien. Elle n'avait aucune confiance dans les livres écrits en anglais, les achetait pour des sommes infimes et les revendait le plus vite possible, moyennant un bénéfice minime.

« Est-ce que ça vaut quelque chose ? me demanda-t-elle un jour, après que nous fûmes devenus amis.

— Il y en a parfois de bons.

— Comment savoir lesquels ?

— Je ne le sais qu'après les avoir lus.

— C'est une sorte de pari, quand même. Et combien de gens peuvent lire l'anglais ?

— Gardez-les-moi et laissez-moi les parcourir.

— Non, je ne peux pas vous les garder. Vous ne venez pas assez régulièrement. Vous restez absent trop longtemps, chaque fois. Il faut que je les vende aussi vite que je peux. S'ils ne valent rien, personne ne peut encore le savoir. Mais s'il arrive qu'ils ne vaillent vraiment rien, je ne pourrai plus jamais les vendre.

— Comment savez-vous si un livre français a de la valeur ?

— D'abord, il y a les images. Ensuite la qualité des images. Puis la reliure. Si le livre est bon, le propriétaire l'a fait relier comme il faut. Tous les livres anglais sont reliés et mal reliés. Il est impossible de savoir ce qu'ils valent. »

Au-delà de la boîte de cette bouquiniste, près de La Tour d'Argent, il n'y avait plus un seul livre anglais ou américain à acheter jusqu'au quai des Grands-Augustins. Mais à partir de ce point, et jusqu'au-delà du quai Voltaire, il y avait plusieurs bouquinistes qui vendaient des livres achetés aux employés des hôtels de la rive gauche, et tout particulièrement de l'hôtel Voltaire, qui possédait une clientèle plus riche que beaucoup d'autres. Je demandai un jour à une autre bouquiniste de mes amies si ce n'était jamais les propriétaires des livres qui les vendaient.

« Non, dit-elle, ce sont tous des livres que des gens ont jetés ; voilà pourquoi on sait qu'ils n'ont aucune valeur.

— Des amis les leur ont donnés à lire pendant la traversée.

— Sans doute, dit-elle. Ils doivent en laisser beaucoup à bord.

— En effet, dis-je. La compagnie les garde, les fait relier et les met dans la bibliothèque des bateaux.

— C'est astucieux, dit-elle. Au moins, ils sont bien reliés. Un livre comme ça prend de la valeur. »

Je flânais le long des quais après mon travail,

ou quand j'essayais de trouver une idée. Il était plus facile de réfléchir en marchant ou en faisant quelque chose ou en voyant les gens faire quelque chose qui était de leur ressort. À la pointe de l'île de la Cité, au-dessous du Pont-Neuf, où se trouvait la statue d'Henri IV, l'île finissait en pointe comme l'étrave aiguisée d'un navire, et il y avait là un petit parc, au bord de l'eau, avec de beaux marronniers, énormes et largement déployés, et dans les trous et les remous qu'engendrait le mouvement de l'eau contre les rives, il y avait d'excellents coins pour la pêche. On descendait dans le parc par un escalier pour regarder les pêcheurs qui se tenaient là et sous le grand pont. Les endroits poissonneux changeaient selon le niveau du fleuve, et les pêcheurs utilisaient de longues cannes mises bout à bout, mais pêchaient avec de très bons avançons, des engins légers et des flotteurs de plume et ils amorçaient leur coin de façon fort experte. Ils attrapaient toujours quelque chose et faisaient souvent de fort bonnes pêches de *goujons*. Ceux-ci se mangent frits, tout entiers, et je pouvais en dévorer des platées. Leur chair était tendre et douce, avec un parfum meilleur encore que celui de la sardine fraîche, et pas du tout huileuse, et nous les mangions avec les arêtes, sans rien en laisser.

L'un des meilleurs endroits, pour en manger, était un restaurant en plein air, construit au-dessus du fleuve, dans le Bas-Meudon. Nous y allions quand nous avions de quoi nous payer un petit voyage hors du quartier. On l'appelait « La Pêche miraculeuse » et l'on y buvait un merveilleux vin blanc qui ressemblait à du muscadet. Le cadre était digne d'un conte de Maupassant, et l'on y avait une vue sur le fleuve, comme Sisley en a peint. Mais ce n'était pas la peine d'aller si loin pour déguster une friture de goujons. Il y en avait de délicieuses dans l'île Saint-Louis.

Je connaissais plusieurs des pêcheurs qui écumaient les coins poissonneux de la Seine, entre l'île Saint-Louis et le square du Vert-Galant, et parfois, si le ciel était clair, il m'arrivait d'acheter un litre de vin, un morceau de pain et de la charcuterie et je m'asseyais au soleil et lisais l'un des livres que je venais d'acheter et observais les pêcheurs.

Les auteurs de récits de voyages ont décrit les pêcheurs de la Seine comme des fous qui ne prennent jamais rien. Mais leur industrie était sérieuse et profitable. La plupart d'entre eux étaient de petits retraités qui ne savaient pas encore que leurs pensions seraient réduites à rien par l'inflation, ou des passionnés qui y passaient leurs journées ou demi-journées de congé. On prenait plus de poisson à Charenton, au confluent de la Seine et de la Marne, et à chaque extrémité de Paris, mais on pouvait faire de bonnes pêches à Paris même. Je ne pêchais pas, faute de matériel, et je préférais économiser l'argent pour m'équiper en vue de mes parties de pêche en Espagne. À cette époque je ne savais jamais à quel moment j'aurais fini de travailler, ni quand je serais obligé de m'absenter et je ne voulais pas commencer à m'intéresser à la pêche qui a ses bons et ses mauvais moments. Mais je n'en observais pas moins avec attention les pêcheurs, cela m'intéressait et me profitait, et j'étais toujours heureux de constater que certains pouvaient pêcher dans la ville elle-même, avec tout le sérieux et l'application requis, et rapporter quelques bonnes *fritures* chez eux, à leurs familles.

Avec les pêcheurs et la vie sur le fleuve, les belles péniches et leurs mariniers, vivant à bord, les remorqueurs avec leurs cheminées qui se rabattaient d'avant en arrière au passage des ponts, tirant tout un train de péniches, les grands ormes sur les berges de pierre, le long du fleuve, les platanes, et, par endroits, les peupliers, je ne pouvais jamais me sentir seul au bord de la Seine. Il y avait tant d'arbres dans la ville, que vous pouviez voir le printemps se rapprocher de jour en jour jusqu'au moment où une nuit de vent chaud l'installerait dans la place, entre le soir et le matin. Parfois d'ailleurs les lourdes pluies froides le faisaient battre en retraite et il semblait qu'il ne viendrait jamais et que ce serait une saison de moins dans votre vie. C'était le seul moment de vraie tristesse à Paris, car il y avait là quelque chose d'anormal. Vous vous attendez à être triste en automne. Une partie de vous-même meurt chaque année, quand les feuilles tombent des arbres dont les branches demeurent nues sous le vent et la froide lumière hivernale ; mais vous savez déjà qu'il y aura toujours un printemps, que le fleuve coulera de nouveau après la fonte des glaces. Aussi, quand les pluies froides tenaient bon et tuaient le printemps, on eût dit la mort inexplicable d'un adolescent.

Et même si le printemps finissait toujours par venir, il était terrifiant de penser qu'il avait failli succomber.

Un faux printemps

Quand le printemps venait, même le faux printemps, il ne se posait qu'un seul problème, celui d'être aussi heureux que possible. Rien ne pouvait gâter une journée, sauf les gens, et si vous pouviez vous arranger pour ne pas avoir de rendez-vous, la journée n'avait pas de frontières. C'étaient toujours les gens qui mettaient des bornes au bonheur, sauf ceux, très rares, qui étaient aussi bienfaisants que le printemps lui-même.

Comme d'autres matins de printemps, je m'étais mis au travail très tôt, tandis que ma femme dormait encore. Les fenêtres étaient grandes ouvertes et les pavés de la rue séchaient après la pluie. Le soleil séchait les façades humides des maisons en face de ma fenêtre. Les boutiques avaient encore leurs volets. Le troupeau de chèvres remonta la rue au son du pipeau et une voisine, au-dessus de nous, sortit sur le trottoir avec un grand pot. Le chevrier choisit l'une des chèvres laitières noires, aux pis lourds, pour la traire dans le pot, tandis que le chien poussait le troupeau vers le trottoir. Les chèvres regardaient autour d'elles, tordant le cou comme des touristes devant un paysage. Le chevrier prit l'argent, remercia la femme, et poursuivit sa route vers le haut de la rue en soufflant dans son pipeau et le chien guidait le troupeau hochant des cornes.

Je me remis à écrire et la voisine remonta l'escalier avec son lait de chèvre. Elle portait des chaussons à semelles de feutre qui servent à cirer les parquets et je n'entendis que sa respiration précipitée quand elle s'arrêta sur le palier, puis le bruit de sa porte. Le chevrier n'avait pas d'autre client dans notre immeuble.

Je décidai de descendre acheter un journal hippique du matin. Il n'y avait pas un seul quartier assez pauvre pour qu'on n'y pût trouver au moins un exemplaire d'un quotidien de ce genre, mais il fallait s'y prendre tôt, un jour comme celui-là. J'en trouvai un dans la rue Descartes, au coin de la place de la Contrescarpe. Les chèvres descendaient la rue Descartes et je respirai profondément et me dépêchai de rentrer et de grimper les escaliers pour finir mon travail à temps. J'avais été tenté de rester dehors et de descendre la rue matinale à la suite des chèvres. Mais avant de me remettre à la tâche, je jetai un regard sur le journal. Il y avait des courses à Enghien, dont le petit hippodrome, traître et charmant, était le paradis des outsiders.

Ce jour-là, donc, quand j'aurais achevé mon

travail, nous irions aux courses. J'avais reçu quelque argent du journal de Toronto pour lequel j'écrivais, en qualité de correspondant, et nous avions besoin d'un bon tuyau s'il était possible d'en obtenir. Ma femme avait parié un jour, à Auteuil, sur un cheval nommé Chèvre d'Or, qui portait le numéro 121, et qui avait vingt longueurs d'avance quand il était tombé, au dernier obstacle, entraînant dans sa chute une bonne partie de nos économies… de quoi nous permettre de vivre six mois. Nous tâchions de ne jamais y penser. Nous avions du bénéfice, cette année-là, avant Chèvre d'Or.

« Avons-nous assez d'argent pour jouer comme il faut, Tatie ? demanda ma femme.

— Non. On rejouera ce qu'on aura gagné, au fur et à mesure. À moins que tu ne préfères dépenser l'argent pour autre chose.

— Bien, dit-elle.

— Je sais. C'est très dur, et j'ai été très pointilleux et très méchant pour l'argent.

— Non, dit-elle. Mais… »

Je savais combien j'avais été sévère et combien la vie avait été difficile. Celui qui fait son travail et en retire des satisfactions n'est pas aussi affecté par la pauvreté. Je pensais aux baignoires et aux douches et au tout-à-l'égout, comme à des choses dont jouissaient des gens qui nous étaient inférieurs ou dont nous profitions seulement quand nous étions en voyage, ce qui nous arrivait souvent. Il y avait quand même un établissement de bains publics au bas de la rue, près des quais. Ma femme ne s'était jamais plainte de ces choses, pas plus qu'elle n'avait pleuré quand Chèvre d'Or était tombé. Elle avait pleuré pour le cheval, je m'en souvenais, mais pas pour l'argent. Je m'étais montré stupide au sujet de la veste d'agneau gris quand elle en avait eu besoin et j'avais adoré cette veste après qu'elle l'eut achetée. Je m'étais conduit stupidement en d'autres occasions aussi. Tout cela faisait partie de la lutte contre la pauvreté, une lutte qu'on ne pouvait gagner qu'en évitant de dépenser. Particulièrement quand on achète des tableaux au lieu d'acheter des vêtements. Mais, à cette époque, nous ne nous considérions pas comme des pauvres. Nous ne l'acceptions pas. Nous nous sentions supérieurs, et parmi les gens que nous regardions de haut et méprisions à juste titre, il y en avait qui étaient riches. Il ne m'avait jamais paru étonnant de porter des chemisettes en guise de sous-vêtements, pour avoir chaud. Seuls des riches auraient trouvé cela bizarre. Nous mangions bien et pour pas cher, nous buvions bien et pour pas cher, et nous dormions bien, et au chaud, ensemble, et nous nous aimions.

« Je crois que nous devrions y aller, dit ma femme. Il y a si longtemps que nous n'y sommes pas allés. Nous emporterons le déjeuner et du vin. Je préparerai de bons sandwiches.

— Nous irons en train. Ça ne coûte pas cher. Mais n'y allons pas si tu n'es pas d'accord. Quoi que nous fassions, ce sera toujours agréable. Il fait si beau !

— Je crois que nous devrions y aller.

— Tu ne préférerais pas dépenser l'argent pour autre chose ?

— Non », dit-elle avec arrogance. Elle avait de ravissantes pommettes haut perchées et arrogantes. « Nous sommes ce que nous sommes, après tout ? »

Ainsi, nous quittâmes Paris, par le train de la gare du Nord, à travers la partie la plus sale et la plus triste de la ville. Puis il fallut marcher, de la gare à l'oasis du champ de courses. Il était tôt et nous nous assîmes sur mon imperméable sur la pelouse fraîchement tondue, pour déjeuner et boire à notre bouteille de vin blanc et contempler la vieille tribune d'honneur et les petits kiosques de bois brun où l'on prenait les paris, l'herbe verte de la piste et le vert plus sombre des haies et l'éclat brun des rivières et les murettes de pierre blanchies à la chaux et les barrières et les poteaux blancs, le paddock sous les arbres aux feuilles toutes neuves et les premiers chevaux amenés au paddock. Nous bûmes encore un peu de vin et étudiâmes la liste des partants dans le journal et ma femme s'étendit sur l'imperméable pour dormir, face au soleil. Je partis à la découverte et rencontrai quelqu'un que j'avais connu dans le temps, à San Siro, l'hippodrome de Milan. Il me donna deux chevaux.

« Ça ne sera pas le gros paquet, remarque bien. Mais faut quand même pas laisser tomber. »

Le premier des deux rapporta douze contre un et nous avions misé sur lui la moitié de notre argent. Il avait magnifiquement sauté et pris le commandement à l'extérieur et gagné avec quatre longueurs d'avance. Nous mîmes la moitié de l'argent de côté pour risquer l'autre moitié sur le second cheval qui prit la tête dès le départ, franchit toutes les haies en première position, et conserva son avance sur le plat tout juste jusqu'à la ligne d'arrivée, tandis que le favori regagnait du terrain sur lui à chaque foulée et que les deux jockeys cravachaient à tour de bras.

Nous allâmes prendre une coupe de champagne au bar, sous la tribune, en attendant de connaître le rapport.

« Mon Dieu, c'est très éprouvant, les courses, dit ma femme. Tu as vu comme l'autre cheval rattrapait le nôtre ?

— J'en ai encore mal à l'estomac.

— Combien va-t-il rapporter ?

— La *cote* était de dix-huit contre un. Mais il peut y avoir eu des paris de dernière minute. »

Les chevaux revenaient ; le nôtre était trempé de sueur. Il ouvrait grands les naseaux pour respirer, et le jockey le flattait de la main.

« Le pauvre, dit ma femme. Nous, il nous suffit de miser. »

Nous les regardâmes passer, et nous bûmes une autre coupe de champagne et l'on annonça le rapport : 85. Cela voulait dire qu'on paierait quatre-vingt-cinq francs pour une mise de dix francs.

« On a dû mettre un tas d'argent sur lui, juste à la fin », dis-je.

Mais nous avions gagné beaucoup d'argent, une somme très importante pour nous, et maintenant nous avions à la fois le printemps et l'argent. Je pensai qu'il ne nous en fallait pas plus. Après une journée comme celle-là, nous nous réservions, chacun, un quart des bénéfices pour nos dépenses personnelles, et affections le reste, c'est-à-dire la moitié, à un budget spécial, réservé aux courses. Un budget secret dont je tenais les comptes séparément.

Un autre jour, plus tard, la même année, au retour d'un de nos voyages, où nous avions eu de la chance encore une fois sur un champ de courses, nous nous étions arrêtés chez Prunier, pour prendre place au bar, après avoir examiné les merveilles aux prix dûment affichés à la devanture. Nous prîmes des huîtres et du *crabe à la mexicaine*, avec quelques verres de sancerre. Puis nous rentrâmes à pied par les Tuileries, dans la nuit tombante. Nous nous arrêtâmes pour contempler, par-dessous l'arc du Carrousel, l'étendue sombre des jardins, avec les lumières de la Concorde au-delà de cette masse d'ombre, et, plus loin encore, le long chapelet lumineux qui montait vers l'arc de triomphe.

Puis nous regardâmes le Louvre tout noir, derrière nous, et je dis :

« Crois-tu vraiment que les trois arcs sont sur la même ligne droite ? Ces deux-là et le *Sermione* de Milan ?

— Je ne sais pas, Tatie. On dit ça et ce sont des choses qu'on devrait pouvoir vérifier. Tu te rappelles, quand nous nous sommes retrouvés en plein printemps, sur le versant italien du Saint-Bernard après avoir fait toute l'ascension dans la neige, et quand toi et Chink et moi avons marché toute la journée, avec le printemps, jusqu'à Aoste ?

— Chink appelait cela "la traversée du Saint-Bernard en chaussures de ville". Tu te rappelles tes chaussures ?

— Mes pauvres chaussures. Tu te rappelles la coupe de fruits que nous avons mangée chez Biffi, à la Galleria, avec du capri, et les pêches fraîches et les fraises des bois dans un grand verre à pied, avec de la glace ?

— C'est ce jour-là que j'ai commencé à me poser des questions au sujet des trois arcs.

— Je me rappelle le *Sermione.* Il ressemble à cet arc-ci.

— Tu te rappelles l'auberge d'Aigle, où Chink et toi vous étiez assis dans le jardin pour lire, pendant que je pêchais ?

— Oui, Tatie. »

Je me rappelais le Rhône, étroit et gris, et charriant de la neige fondante, et les deux torrents à truites, de part et d'autre, le Stockalper et le canal du Rhône. Le Stockalper était vraiment clair, ce jour-là, et le canal encore plein de ténèbres.

« Tu te rappelles quand les marronniers étaient en fleur et comment j'essayais de me rappeler une histoire que Jim Gamble, je crois, m'avait racontée au sujet d'une glycine et dont je n'ai pas pu me souvenir ?

— Oui, Tatie, et toi et Chink vous parliez toujours de la façon dont un écrivain peut se rapprocher davantage de la vérité, en supprimant les descriptions pour ne garder seulement que l'action. Je me rappelle absolument tout. Parfois c'était lui qui avait raison, et parfois c'était toi. Je me rappelle les éclairages et les sujets, et les formes dont vous discutiez. »

Nous avions franchi les guichets du Louvre et, après avoir traversé la rue, nous étions sur le pont, penchés au-dessus du parapet pour regarder le fleuve.

« Tous les trois, nous discutions à propos de tout et toujours à propos de quelque chose de précis, et nous nous moquions les uns des autres. Je me rappelle absolument tout ce que nous avons fait et tout ce que nous avons dit au cours de ce voyage, dit Hadley. Vraiment. À propos de tout. Quand vous discutiez, Chink et toi, je participais toujours à la conversation. Je n'étais pas traitée en épouse, comme chez Miss Stein.

— Je voudrais me rappeler l'histoire de la glycine.

— Ce n'était pas l'histoire qui importait, c'était la glycine, Tatie.

— Tu te rappelles que j'avais rapporté du vin d'Aigle, au chalet ? On me l'avait vendu à l'auberge. On m'avait dit que ça irait bien avec les truites. Nous l'avons enveloppé dans des numéros de *La Gazette de Lucerne*, je crois.

— Le vin de Sion était encore meilleur. Tu te rappelles comment Mme Gangeswisch a préparé les truites *au bleu*, quand nous sommes rentrés au chalet ? Elles étaient si bonnes, ces truites, Tatie, et nous avons bu le vin de Sion et déjeuné dehors, sur le perron devant les montagnes qui descendaient plus bas encore, et l'on pouvait voir jusqu'à l'autre rive du lac et regarder la Dent du Midi avec de la neige jusqu'à mi-hauteur, et les arbres à l'embouchure du Rhône, là où il se jette dans le lac.

— Nous regrettons toujours l'absence de Chink en hiver et au printemps.

— Toujours. Et je le regrette encore maintenant, après tout ce temps. »

Chink était un soldat de carrière qui était passé directement de l'École de Sandhurst au champ de bataille de Mons. Je l'avais rencontré pour la première fois en Italie et il avait été mon meilleur ami, puis notre meilleur ami, pendant longtemps. Il passait ses permissions avec nous. « Il va tâcher d'obtenir une permission, au printemps prochain. Il a écrit de Cologne, la semaine dernière.

— Je sais. Mais il nous faut vivre le présent et ne pas en perdre une minute.

— Nous observons en ce moment l'eau qui heurte le pilier du pont. Regarde ce qu'on peut voir, là d'où vient le fleuve. »

Nous regardâmes, et tout était là : notre fleuve et notre ville, et l'île de notre ville.

« Nous avons trop de chance, dit-elle. J'espère que Chink viendra. Il veille sur nous, quand il est là.

— Ce n'est pas ce qu'il pense.

— Bien sûr que non.

— Il pense que nous explorons, tous ensemble.

— C'est vrai. Mais tout dépend de ce qu'on explore. »

Nous avions traversé le pont et nous étions maintenant sur l'autre rive, la nôtre.

« Est-ce que tu n'as pas de nouveau faim ? dis-je. Tout le temps en train de parler et de marcher !

— Bien sûr, Tatie. Tu n'as pas faim, toi ?

— Allons dans un magnifique endroit et faisons un dîner vraiment sensationnel.

— Où ?

— Chez Michaud ?

— Très bien, et c'est tout près. »

Ainsi nous remontâmes la rue des Saints-Pères jusqu'au coin de la rue Jacob en nous arrêtant pour regarder les tableaux et les meubles aux devantures. Nous fîmes halte devant le restaurant Michaud pour lire le menu affiché à l'entrée. La salle était pleine et nous attendîmes dehors le départ de quelque dîneur en surveillant les tables où l'on en était déjà au café.

La marche nous avait affamés de nouveau, et Michaud était un restaurant coûteux et troublant pour nous. C'était là que Joyce prenait ses repas avec sa famille — lui et sa femme assis, le dos au mur ; Joyce étudiant le menu à travers ses épaisses lunettes, brandissant la carte d'une seule main ; Nora, à côté de lui, mangeant avec appétit mais raffinement ; Giorgio, de dos, mince, trop élégant, la nuque luisante ; Lucia, fillette en pleine croissance, avec sa lourde chevelure bouclée — parlant tous italien.

Debout devant ce restaurant, je me demandais si tout ce que nous avions ressenti sur le pont n'était pas dû à la faim. Je posai la question à ma femme, et elle dit :

« Je ne sais pas, Tatie. Il y a tant de sortes de faim. Et il y en a plus encore au printemps. Mais c'est fini maintenant. La mémoire est aussi une faim. »

Je devenais stupide et en voyant, à travers la porte vitrée, servir deux *tournedos,* je compris que j'avais simplement faim, le plus naturellement du monde.

« Tu as dit que nous avions eu de la chance aujourd'hui. C'est vrai. Mais nous avions des tuyaux et l'on nous avait bien conseillés. »

Elle rit.

« Je ne pensais pas aux courses. Tu prends tout au pied de la lettre. Je voulais parler d'une autre sorte de chance.

— Je ne crois pas que Chink s'intéresse aux courses, dis-je, sans m'appesantir sur ma stupidité.

— Non, ça ne l'intéresserait que s'il pouvait courir lui-même.

— Est-ce que tu ne veux plus aller aux courses ?

— Bien sûr que si. Et maintenant nous pourrons y retourner quand nous voudrons.

— Mais tu veux vraiment y aller ?

— Naturellement. Toi aussi, n'est-ce pas ? »

Nous fîmes un merveilleux repas chez Michaud, quand nous pûmes enfin pénétrer dans le restaurant ; mais quand nous eûmes terminé et qu'il ne fut plus question d'attribuer à la faim le sentiment qui ressemblait à une faim, et qui nous avait saisis lorsque nous nous trouvions sur le pont, ce sentiment subsistait en nous. Il subsistait alors que nous prenions l'autobus pour rentrer. Il subsistait quand nous entrâmes dans la chambre, et, alors même que nous étions couchés et que nous avions fait l'amour dans le noir, il subsistait encore. Quand je m'éveillai devant les fenêtres largement ouvertes et vis le clair de lune sur les toits des hautes maisons, il subsistait. J'abritai mon visage du clair de lune, dans l'ombre, mais je ne pouvais dormir et restai éveillé, l'esprit obsédé. Nous nous étions réveillés deux fois l'un et l'autre, au cours de la nuit, et ma femme dormait paisiblement, maintenant, le visage éclairé par la lune. Je tentai de bannir cette obsession. C'était trop stupide. La vie m'avait paru si simple ce matin-là, quand, au réveil, j'avais découvert le faux printemps et entendu le pipeau du berger conduisant ses chèvres, et lorsque j'étais sorti pour acheter le journal des courses.

Mais Paris était une très vieille ville et nous étions jeunes et rien n'y était simple, ni même la pauvreté, ni la richesse soudaine, ni le clair de lune, ni le bien, ni le mal, ni le souffle d'un être endormi à vos côtés dans le clair de lune.

Une occupation abandonnée

Nous allâmes courir ensemble bien souvent encore cette année-là et les années suivantes, quand j'avais fini mon travail assez tôt, le matin, et cela plaisait à Hadley, et parfois même elle se passionnait. Mais il ne s'agissait pas de courses en montagne, dans les alpages, au-dessus de la plus haute forêt, ni de retours, la nuit, vers le chalet, ni d'escalades avec Chink, notre meilleur ami, pour nous retrouver, au-delà d'un col, dans un autre pays. Il ne s'agissait même pas de courses à proprement parler. Nous appelions cela « courir », mais il s'agissait seulement de miser sur des chevaux.

Les courses ne nous séparèrent pas ; seuls les gens purent nous séparer ; mais, pendant longtemps, la passion des courses s'installa auprès de nous, comme une amie exigeante. C'était d'ailleurs là une façon indulgente de voir les choses. Moi qui étais si intransigeant quand il s'agissait des êtres et de leur pouvoir destructeur, je tolérais cette amie qui était la plus fourbe, la plus belle, la plus troublante, la plus vicieuse et la plus exigeante parce qu'elle pouvait nous être profitable. Mais pour la rendre profitable il eût fallu s'y consacrer à plein temps, et plus encore, et je ne disposais pas de mon temps. Mais je me justifiais vis-à-vis de moi-même en prétendant qu'elle m'inspirait, bien que, finalement, quand tout ce que j'avais écrit fut perdu, il ne subsistât qu'une seule histoire de courses, dont le texte s'était trouvé confié à la poste.

J'allais seul aux courses, plus souvent désormais, et je m'en occupais assidûment et même trop. Je travaillais sur deux hippodromes à la fois, au cours de leurs saisons respectives et dans la mesure du possible : Auteuil et Enghien. Pour essayer de miser intelligemment, il fallait s'en occuper toute la journée et cela ne rapportait guère. Les calculs n'étaient exacts que sur le papier. Il suffisait d'acheter un journal pour être tout aussi avancé.

Il vous fallait assister aux courses d'obstacles du haut de la tribune d'Auteuil et y grimper vite pour voir ce que faisait chaque cheval, et voir quel cheval aurait pu gagner, et pourquoi il n'avait pas gagné, et vérifier peut-être qu'il n'avait pas donné toute sa mesure. Il vous fallait surveiller les cotes et tous les éléments susceptibles de modifier le sort d'une course chaque fois qu'un cheval que vous suiviez prenait le départ et il vous fallait savoir comment il se comportait et finalement réussir à apprendre quand l'écurie miserait sur lui. Il pouvait toujours être battu, même dans ce cas, mais il vous fallait au moins connaître ses chances. C'était là beaucoup de travail, mais à Auteuil il était magnifique d'assister à chaque réunion, dans la mesure du possible, aux courses loyales, entre des chevaux réputés, et vous finissiez par connaître le champ de courses aussi bien que n'importe quel endroit que vous eussiez jamais fréquenté. Vous connaissiez beaucoup de monde, en fin de compte, des jockeys et des entraîneurs, et des propriétaires et trop de chevaux et trop de choses.

En principe, je ne jouais que si j'avais un cheval sur qui miser, mais je trouvais parfois des chevaux en qui nul n'avait confiance, sauf les hommes qui les entraînaient et les montaient, et qui gagnaient course sur course, alors que j'avais misé sur eux. J'abandonnai finalement cette occupation parce que cela me prenait trop de temps, que je m'y intéressais trop et que j'en savais trop long sur ce qui se passait à Enghien et aussi sur les hippodromes de plat.

Quand je cessai de m'intéresser professionnellement aux courses, je me sentis heureux, mais j'avais conscience d'un vide en moi. J'appris, à la même époque, que tout ce qu'on abandonne, bon ou mauvais, laisse un sentiment de vide. Mais si c'était quelque chose de mauvais, le vide se comblait tout seul. Dans le cas contraire, il fallait trouver quelque chose de meilleur pour refaire le plein. Je transférai au budget commun les fonds secrets destinés aux courses et me sentis détendu et plein de mérite.

Le jour où je renonçai aux courses, je traversai la Seine pour bavarder avec mon ami Mike Ward au guichet des voyages de la banque Guaranty Trust qui se trouvait alors au coin de la rue des Italiens et du boulevard des Italiens. J'y déposai le montant des fonds secrets, sans en souffler mot à personne. Je n'inscrivis même pas l'opération sur mon chéquier, me contentant de m'en souvenir.

« On déjeune ensemble ? demandai-je à Mike.

— Pour sûr, mon vieux. Chic de pouvoir le faire. Qu'est-ce qui t'arrive ? Tu ne vas pas aux courses ?

— Non. »

Nous déjeunâmes, square Louvois, dans un très bon bistrot, tout simple, où l'on servait un merveilleux vin blanc. De l'autre côté du square, se trouvait la Bibliothèque nationale.

« Tu n'as jamais beaucoup fréquenté les champs de courses, Mike ? dis-je.

— Non. Pas depuis très longtemps.

— Pourquoi as-tu lâché ?

— Sais pas, dit Mike. Si, je sais. Si tu as besoin de parier pour être empaumé par ce que tu vois, c'est que ça ne vaut pas la peine d'être vu.

— Tu n'y vas plus jamais ?

— Des fois, pour une grande course avec de très bons chevaux. »

Nous étalions du pâté sur le bon pain du bistrot et buvions le vin blanc.

« Tu t'y es vraiment beaucoup intéressé, Mike ?

— Oh ! oui.

— Qu'est-ce que tu as trouvé de mieux ?

— Les courses de vélos.

— Vraiment ?

— Tu n'as pas besoin de jouer. Tu ne fais que regarder.

— Les chevaux, ça prend du temps.

— Trop de temps. Tout le temps. Je n'aime pas les gens des champs de courses.

— Je les trouvais très intéressants.

— Sûrement. Tu t'en sors bien ?

— Très bien.

— Laisser tomber, c'est une bonne chose, dit Mike.

— J'ai laissé tomber.

— Pas commode. Écoute, vieux, on va aller aux courses de vélos, un de ces jours. »

C'était quelque chose de nouveau et de passionnant, et je n'y connaissais encore presque rien. Mais je ne commençai pas tout de suite. Cela vint plus tard. Cela devint une partie importante de notre existence quand la première partie de ce que nous avait apporté Paris s'en fut allée à vau-l'eau.

Mais, pour un temps, il nous parut déjà suffisant de nous retrouver dans notre quartier, loin des champs de courses, et de miser sur notre propre vie et sur notre travail et sur les peintres que nous connaissions, sans chercher à vivre du jeu en déguisant son nom. J'ai commencé à écrire beaucoup de récits sur les courses cyclistes, mais je n'ai jamais rien écrit d'aussi intéressant que les courses elles-mêmes, sur piste, couverte ou non, et sur route. Mais j'évoquerai le Vélodrome d'Hiver, dans la lumière fumeuse de l'après-midi, et les pistes de bois très relevées et le crissement des pneus sur le bois, au passage des coureurs, l'effort et la tactique de chaque coureur grimpant et plongeant alternativement dans les virages, chacun faisant corps avec sa machine ; j'évoquerai la magie du *demi-fond*, le bruit des motos avec leurs rouleaux, montées par les *entraîneurs*, coiffés du casque pesant, contre les chutes, cambrés en arrière dans leurs lourdes combinaisons de cuir pour mieux abriter contre la résistance de l'air leurs coureurs, casqués plus légèrement, courbés très bas sur leurs guidons, leurs jambes tournant les grands pédaliers dentés, la roue avant, plus petite, frôlant le rouleau derrière la moto, qui offrait au coureur un abri, et les duels qui étaient ce qu'on pouvait voir de plus poignant, le pat-pat des motos, et les coureurs épaule contre épaule, roue contre roue, montant, descendant dans les virages, tournant à une allure meurtrière, jusqu'à ce que l'un d'eux, incapable de suivre plus longtemps le train, lâchât prise, se heurtant soudain au mur épais de l'air dont il avait été protégé jusque-là.

Il y avait tant de sortes de courses différentes. Les courses de vitesse pures et simples, soit par manches, soit en une seule épreuve, où les concurrents faisaient du surplace pendant plusieurs secondes, en espérant que leur adversaire prendrait le commandement, avant de faire lentement un premier tour et plonger tout soudain dans la folie de la pure vitesse. Il y avait aussi des rencontres de deux heures par équipes de deux, avec des séries de sprints à chaque manche, pour meubler l'après-midi ; l'aventure solitaire d'un homme contre la montre, dans l'absolu de la vitesse ; si belles et si terriblement dangereuses, les courses de cent kilomètres sur la grande piste de bois de cinq cents mètres au stade Buffalo ; le stade en plein air de Montrouge où l'on courait derrière de grosses motocyclettes ; Linart, le grand champion belge qu'on appelait « le Sioux » à cause de son profil, et qui baissait la tête pour aspirer du cherry-brandy grâce à un tube souple relié à une bouillotte en caoutchouc, sous son maillot, lorsqu'il en avait besoin, pour augmenter encore sa vitesse sauvage, vers la fin d'une épreuve ; et les championnats de France derrière de grosses motos, sur la grande piste en ciment de six cent soixante-six mètres, au Parc des Princes, près d'Auteuil, le parcours le plus traître de tous, où nous vîmes tomber le grand coureur Ganay et entendîmes craquer son crâne, sous le casque, comme craque un œuf dur que l'on casse sur une pierre pour l'écaler, au cours d'un pique-nique. Il me faudrait évoquer le monde étrange des Six-Jours et les merveilleuses courses routières en montagne. On n'en a jamais parlé correctement qu'en français, et tous les termes techniques sont français, de sorte qu'il m'est très difficile d'écrire sur ce sujet. Mike avait raison : il n'était pas besoin de jouer de l'argent. Mais cela appartient à une autre de mes périodes parisiennes.

« Une génération perdue »

J'avais pris la douce habitude de faire halte au 27 rue de Fleurus, vers la fin de l'après-midi, attiré par la chaleur ambiante, les œuvres d'art et la conversation. Souvent, il n'y avait pas d'autre visiteur que moi et Miss Stein se montrait toujours très amicale et même, pendant longtemps, elle me témoigna une réelle affection. Quand je rentrais de voyage, après avoir assisté à diverses conférences internationales, ou avoir parcouru le Moyen-Orient ou l'Allemagne pour le compte de mon journal canadien ou pour les agences de presse qui m'employaient alors, elle voulait que je lui raconte tous les détails amusants. Il m'était toujours arrivé quelque chose de cocasse et elle en était friande ; elle appréciait aussi l'humour noir, ce que les Allemands appellent de « bonnes histoires de gibet ». Elle voulait toujours voir le monde par son côté plaisant, sans jamais se préoccuper de la réalité ni de ce qui n'allait pas.

J'étais jeune et peu porté à la mélancolie et il m'arrivait toujours des choses étranges et comiques, même aux pires moments, et Miss Stein aimait les entendre conter. Le reste, je ne lui en parlais pas et m'en servais seulement lorsque j'écrivais.

Quand je n'avais pas fait de voyage récent et m'arrêtais, rue de Fleurus, après ma journée de travail, j'essayais parfois d'obtenir que Miss Stein me parlât de littérature. Quand j'écrivais quelque chose, j'avais besoin de lire après avoir posé la plume. Si vous continuez à penser à ce que vous écrivez, en dehors des heures de travail, vous perdez le fil et vous ne pouvez le ressaisir le lendemain. Il vous faut faire de l'exercice, fatiguer votre corps, et il vous est alors recommandé de faire l'amour avec qui vous aimez. C'est même ce qu'il y a de meilleur. Mais ensuite, quand vous vous sentez vide, il vous faut lire afin de ne pas penser à votre œuvre et de ne pas vous en préoccuper jusqu'au moment où vous vous remettrez à écrire. J'avais déjà appris à ne jamais assécher le puits de mon inspiration, mais à m'arrêter alors qu'il y avait encore quelque chose au fond, pour laisser la source remplir le réservoir pendant la nuit.

Pour tenir mon esprit éloigné de mes préoccupations littéraires propres, parfois, après avoir écrit, je lisais des auteurs qui étaient alors en pleine production, tels qu'Aldous Huxley, D. H. Lawrence ou d'autres dont je pouvais me procurer les livres à la librairie de Sylvia Beach ou sur les *quais*.

« Huxley est un cadavre, disait Miss Stein. Pourquoi vouloir lire les œuvres d'un cadavre ? Ne voyez-vous pas qu'il est mort ? »

Je ne voyais pas, alors, que c'était un cadavre et je dis que ses livres m'amusaient et m'empêchaient de penser.

« Vous ne devez lire que des livres vraiment bons ou franchement mauvais.

— J'ai lu des livres vraiment bons pendant tout l'hiver et tout l'hiver d'avant, et j'en lirai encore l'hiver prochain, et je n'aime pas les livres franchement mauvais.

— Pourquoi lisez-vous cette camelote ? Ce n'est que de la camelote prétentieuse, Hemingway. Huxley est un cadavre.

— J'aime voir ce que les autres écrivent, dis-je, et, pendant que je lis, cela m'empêche de penser à en faire autant.

— Qui d'autre lisez-vous, en ce moment ?

— D. H. Lawrence, dis-je. Il a écrit quelques bonnes nouvelles. L'une d'elles s'appelle *L'Officier prussien*.

— J'ai essayé de lire ses romans. C'est un homme impossible. À la fois pathétique et absurde. Il écrit comme un malade.

— J'ai aimé *Amants et Fils* et *Le Paon blanc*. Peut-être celui-ci moins que l'autre. Je n'ai pas pu lire *Femmes amoureuses*.

— Si vous ne voulez pas lire ce qui est mauvais et si vous voulez quelque chose qui tiendra votre esprit en éveil, tout en étant merveilleux à sa façon, lisez Marie Belloc Lowndes. »

Je n'en avais jamais entendu parler, et Miss Stein me prêta *Le Locataire*, cette merveilleuse histoire de Jack l'Éventreur, et un autre livre qui parlait d'un crime commis près de Paris dans un endroit qui aurait pu être Enghien-les-Bains. Tous deux étaient de merveilleux livres à lire après une journée de travail ; les personnages étaient vraisemblables et l'action ne paraissait pas outrée, non plus que l'effet de terreur. C'était là une lecture parfaite pour quelqu'un qui avait achevé sa tâche quotidienne, et je lus toutes les œuvres de Mrs Belloc Lowndes que je pus trouver. Mais il y en avait beaucoup et aucune n'était aussi bonne que les deux premières que j'avais lues, et je ne trouvai plus jamais rien d'aussi bon à lire pour meubler les heures creuses de la journée ou de la nuit jusqu'à la parution des premiers bons livres de Simenon.

Je crois que Miss Stein aurait aimé les bons livres de Simenon — le premier que je lus devait être *L'Écluse numéro 1* ou *La Maison du canal* — mais je n'en suis pas sûr, car au moment où je rencontrai Miss Stein elle n'aimait pas lire en français, bien qu'elle adorât parler cette langue. C'est Janet Flanner qui me donna les deux premiers Simenon que je lus. Elle adorait lire en français et elle avait lu Simenon au temps où il était journaliste, chargé des enquêtes criminelles.

Au cours des trois ou quatre années de notre bonne amitié, et autant que je m'en souvienne, Gertrude Stein ne dit jamais le moindre bien d'un auteur qui n'eût pas pris son parti, ou ne se fût efforcé de l'aider dans la carrière des lettres, exception faite de Ronald Firbank et, plus tard, de Scott Fitzgerald. Quand je fis sa connaissance, elle ne parlait jamais de Sherwood Anderson en tant qu'écrivain, mais s'évertuait à évoquer ses qualités d'homme, sa gentillesse, son charme et la beauté italienne de ses yeux profonds au regard chaleureux. Je me moquais éperdument de ses beaux yeux italiens mais aimais beaucoup certaines de ses nouvelles. Elles étaient écrites avec simplicité et parfois avec un grand art et il connaissait les gens dont il écrivait l'histoire et s'en souciait énormément. Miss Stein ne voulait jamais parler de ses œuvres mais seulement de sa personne.

« Que pensez-vous de ses romans ? » lui demandais-je. Elle ne voulait pas parler des œuvres d'Anderson non plus que de Joyce. Quiconque mentionnait Joyce deux fois devant elle se trouvait désormais banni. C'était comme faire l'éloge d'un général devant un autre général. On apprend à ne plus commettre pareille erreur dès qu'on l'a faite une seule fois. On peut toujours parler d'un général devant un autre général, certes, mais à condition que celui-ci ait battu celui-là. Le général vainqueur peut même faire, dans ce cas, l'éloge du général vaincu, et raconter allègrement, par le menu, comment s'est déroulée la bataille.

Les œuvres d'Anderson étaient trop bonnes pour faire l'objet de ce genre de conversation. J'étais prêt à dire à Miss Stein combien je trouvais ces œuvres mauvaises, mais cela n'aurait pas convenu non plus, car j'aurais alors critiqué l'un des plus loyaux adeptes de mon amie. Il écrivit finalement un roman intitulé *Rire noir*, qui était terriblement mauvais, bête et affecté, de sorte que je ne pus m'empêcher de le parodier (dans *The Torrents of Spring*), et Miss Stein en fut très mécontente. J'avais attaqué l'une des personnalités de sa suite. Mais pendant longtemps, et avant cet incident, elle ne me chercha jamais querelle. Elle-même commença à dire beaucoup de bien de Sherwood, après que celui-ci eut sombré, en tant qu'auteur.

Elle en voulait aussi à Ezra Pound sous prétexte qu'il s'était assis trop précipitamment sur une petite chaise, fragile et sans doute inconfortable, qu'on lui avait probablement avancée, d'ailleurs, et qu'il avait cassée ou fêlée. Peu importait qu'il fût un grand poète et un homme courtois et généreux, et qu'il eût pu mieux s'accommoder d'une chaise de dimensions normales. Elle inventa, avec autant d'art que de malice, les raisons de son antipathie pour Ezra, bien des années plus tard.

Nous étions revenus du Canada et nous vivions dans la rue Notre-Dame-des-Champs, et Miss Stein et moi étions encore bons amis lorsqu'elle fit sa remarque sur la génération perdue. Elle avait eu des ennuis avec l'allumage de la vieille Ford T qu'elle conduisait, et le jeune homme qui travaillait au garage et s'occupait de sa voiture — un conscrit de 1918 — n'avait pas pu faire le nécessaire, ou n'avait pas voulu réparer en priorité la Ford de Miss Stein. De toute façon, il n'avait pas été *sérieux* et le *patron* l'avait sévèrement réprimandé après que Miss Stein eut manifesté son mécontentement. Le *patron* avait dit à son employé : *« Vous êtes tous une génération perdue. »*

« C'est ce que vous êtes. C'est ce que vous êtes tous, dit Miss Stein. Vous autres, jeunes gens qui avez fait la guerre, vous êtes tous une génération perdue.

— Vraiment ? dis-je.

— Vraiment, insista-t-elle. Vous ne respectez rien, vous vous tuez à boire.

— Le jeune mécano avait-il bu ? demandai-je.

— Bien sûr que non.

— M'avez-vous déjà vu ivre ?

— Non, mais vos amis boivent.

— J'ai déjà été ivre, dis-je, mais je ne viens pas ici quand j'ai trop bu.

— Bien sûr que non. Je n'ai pas dit ça.

— Le patron de ce garçon avait probablement déjà bu un coup de trop, à onze heures du matin. C'est pourquoi il faisait d'aussi belles phrases.

— Ne discutez pas avec moi, Hemingway, dit Miss Stein. Cela ne vous vaut rien. Vous êtes tous une génération perdue, exactement comme l'a dit le garagiste. »

Plus tard, quand j'écrivis mon premier roman, j'adjoignis à la réflexion du garagiste, citée par Miss Stein, une citation de l'Ecclésiaste, pour rétablir l'équilibre. Mais, cette nuit-là, alors que je rentrais chez moi à pied, je pensai au garçon du garage et me demandai s'il avait jamais été transporté dans l'un de ces véhicules au temps où ils étaient convertis en ambulances. Je me rappelai comment les freins s'usaient jusqu'à devenir inutilisables, dans les descentes, en montagne, quand il y avait un plein chargement de blessés à bord, et comment il fallait freiner avec la boîte de vitesses et finalement utiliser la marche arrière pour s'arrêter, et comment les dernières de ces ambulances furent basculées, vides, dans les ravins, pour que nous puissions les faire remplacer par de grosses Fiat, avec de bons changements de vitesse du type H et des freins entièrement métalliques. Je pensai à Miss Stein et à Sherwood Anderson, et à l'égoïsme et à la paresse mentale, par opposition à la discipline, et je me demandai qui appelle qui une génération perdue ? Puis comme j'arrivais à la hauteur de La Closerie des Lilas, la lumière se reflétait sur mon vieil ami, le maréchal Ney, statufié sabre au poing, et l'ombre des arbres jouait sur le bronze, et il était là, tout seul, sans personne derrière lui, avec le fiasco qu'il avait fait à Waterloo, et je pensai que toutes les générations sont perdues par quelque chose et l'ont toujours été et le seront toujours et je m'arrêtai à la Closerie pour tenir compagnie à la statue et pris une bière bien fraîche avant de rentrer à la maison, dans l'appartement au-dessus de la scierie. Mais une fois assis, là, avec ma bière, tandis que je regardais la statue et me rappelais combien de fois Ney avait payé de sa personne, à l'arrière-garde, pendant la retraite de Russie, alors que Napoléon roulait en voiture avec Caulaincourt, je me rappelai combien Miss Stein était pour moi une amie affectueuse et chaleureuse, et comme elle avait merveilleusement parlé d'Apollinaire et de sa mort, le jour de l'armistice, en 1918, avec la foule qui hurlait : *« À bas Guillaume »*, et Apollinaire qui, dans son délire, croyait qu'on s'en prenait à lui, et je pensai, je vais faire de mon mieux pour lui être utile et pour que soit reconnu le bon travail qu'elle a fait, aussi longtemps que je pourrai, avec l'aide de Dieu et de Mike Ney. Mais au diable ses idées sur la génération perdue et toutes ces sales étiquettes si faciles à accrocher. Quand je rentrai chez moi, et traversai la cour et montai l'escalier, et vis ma femme et mon fils et son chat, F. Minet, tous heureux, et le feu dans l'âtre, je dis à ma femme :

« Tu sais, Gertrude est gentille, malgré tout.

— Bien sûr, Tatie.

— Mais elle dit beaucoup de bêtises, parfois.

— Je ne l'entends jamais, dit ma femme. Je ne suis qu'une épouse. C'est son amie qui me fait la conversation. »

La faim est une bonne discipline

Il y avait de quoi se sentir très affamé, quand on ne mangeait pas assez, à Paris ; de si bonnes choses s'étalaient à la devanture des boulangeries, et les gens mangeaient dehors, attablés sur le trottoir, de sorte que vous étiez poursuivi par la vue ou le fumet de la nourriture. Quand vous aviez renoncé au journalisme et n'écriviez plus que des contes dont personne ne voulait en Amérique, et quand vous aviez expliqué chez vous que vous déjeuniez dehors avec quelqu'un, le meilleur endroit où aller était le jardin du Luxembourg car l'on ne voyait ni ne sentait rien qui fût à manger tout le long du chemin, entre la place de l'Observatoire et la rue de Vaugirard. Une fois là, vous pouviez toujours aller au musée du Luxembourg et tous les tableaux étaient plus nets, plus clairs et plus beaux si vous aviez le ventre vide et vous sentiez creusé par la faim. J'appris à comprendre bien mieux Cézanne et à saisir vraiment comment il peignait ses paysages, quand j'étais affamé. Je me demandais s'il avait faim, lui aussi, lorsqu'il peignait ; mais j'en vins à penser que, peut-être, il oubliait tout simplement de manger. C'était là une des pensées irréfléchies mais lumineuses qui vous venaient à l'esprit quand vous étiez privé de sommeil ou affamé. Plus tard, je pensai que Cézanne devait être affamé d'une façon différente.

Après avoir quitté le Luxembourg, vous pouviez descendre par l'étroite rue Férou jusqu'à la place Saint-Sulpice, où l'on ne trouvait pas de restaurants, non plus, et où il n'y avait qu'un square tranquille, avec des bancs et des arbres, une fontaine avec des lions, et des pigeons qui se promenaient sur l'asphalte et se perchaient sur les statues des évêques. Il y avait aussi l'église et des boutiques où l'on vendait des objets pieux et des vêtements sacerdotaux, du côté nord.

À partir de là, vous ne pouviez poursuivre votre route en direction de la Seine sans passer devant des marchands de fruits, de légumes, de vin, ou des boulangeries-pâtisseries. Mais en choisissant votre itinéraire avec soin, vous pouviez prendre à droite, tourner autour de la vieille église de pierre grise et blanche, et atteindre la rue de l'Odéon, et tourner encore à droite en direction de la librairie de Sylvia Beach sans rencontrer en chemin trop d'endroits où se procurer de quoi manger. La rue de l'Odéon était dépourvue de toute tentation alimentaire jusqu'à la place de l'Odéon où se tenaient trois restaurants.

Au moment où vous atteigniez le 12, rue de

l'Odéon, vous aviez eu le temps de maîtriser votre faim, mais toutes vos perceptions étaient aiguisées de nouveau. Les photos vous semblaient différentes et vous dénichiez des livres que vous n'aviez jamais aperçus jusqu'alors.

« Vous êtes trop maigre, Hemingway, disait Sylvia. Est-ce que vous mangez à votre faim ?

— Bien sûr.

— Qu'est-ce que vous avez pris, pour déjeuner ? »

Des crampes torturaient mon estomac et je disais :

« Je rentre justement déjeuner chez moi.

— À trois heures ?

— Je ne savais pas qu'il était si tard.

— Adrienne m'a dit l'autre jour qu'elle voulait vous avoir à dîner, vous et Hadley. Nous allons aussi inviter Fargue. Vous aimez bien Fargue, n'est-ce pas ? Ou Larbaud. Vous l'aimez ? Je sais que vous l'aimez bien. Ou quelqu'un que vous aimiez vraiment. Voulez-vous en parler à Hadley ?

— Je sais qu'elle serait enchantée.

— Je lui enverrai un *pneu.* Est-ce que vous ne travaillez pas trop pour quelqu'un qui ne mange pas convenablement ?

— Je ferai attention.

— Rentrez chez vous maintenant, avant qu'il ne soit trop tard pour déjeuner.

— On me gardera ma part.

— Ne prenez pas un repas froid, non plus. Faites un bon déjeuner chaud.

— Est-ce qu'il n'y a pas de courrier pour moi ?

— Je ne crois pas. Mais laissez-moi vérifier. »

Elle vérifia et trouva une note et leva les yeux d'un air heureux et ouvrit ensuite l'une des portes de son secrétaire.

« Ceci est arrivé pendant que j'étais sortie », dit-elle. C'était une lettre et elle semblait contenir de l'argent. « Wedderkop, dit Sylvia.

— Cela doit venir du *Der Querschnitt.* Avez-vous vu Wedderkop ?

— Non, mais il est venu avec George. Vous le verrez, n'ayez crainte. Peut-être voulait-il vous payer d'abord.

— Il y a six cents francs. Il dit que c'est seulement un acompte.

— Je suis rudement contente que vous m'ayez rappelé de vérifier. Ce cher *Mr Awfully Nice*[1].

— C'est diablement drôle que l'Allemagne soit le seul pays où je puisse caser quelque chose : chez lui et au *Frankfurter Zeitung.*

— Je sais. Mais ne vous tourmentez pas sans cesse. Vous pouvez vendre des contes à Ford, dit-elle pour me taquiner.

1. « Monsieur Terriblement Gentil. » C'est le surnom que l'on donnait à Montparnasse au comte von Wedderkop, qui ne savait dire en anglais que ces deux mots (*awfully nice*) et les répétait constamment. *(N.d.T.)*

— Trente francs la page. Un conte tous les trois mois dans *The Transatlantic* — un conte de cinq pages —, cela fait cent cinquante francs par trimestre. Six cents francs par an.

— Mais, Hemingway, ne vous occupez pas de ce que vos contes vous rapportent tout de suite. L'important, c'est que vous puissiez les écrire.

— Je sais. Je peux les écrire. Mais personne ne veut me les prendre. Je ne gagne plus rien depuis que j'ai abandonné le journalisme.

— On vous les prendra un jour. Voyez. On vient juste de vous en payer un.

— Désolé, Sylvia. Excusez-moi d'en avoir parlé.

— Vous excuser de quoi ? Parlez de cela ou d'autre chose, tant que vous voudrez. Ne savez-vous pas que les auteurs ne parlent jamais que de leurs ennuis ? Mais promettez-moi de ne pas vous faire de souci et de manger à votre faim.

— Je vous le promets.

— Alors, rentrez déjeuner chez vous. »

Une fois dehors, dans la rue de l'Odéon, je m'en voulus de m'être fait plaindre ainsi. J'avais choisi délibérément une ligne de conduite et je me conduisais avec stupidité. J'aurais dû acheter un grand morceau de pain au lieu de sauter un repas. Je sentais déjà le goût de la belle croûte dorée. Mais le pain dessèche le palais si l'on ne boit rien. Tu n'es qu'un pleurnicheur, un sale martyr en toc, me dis-je à moi-même. Tu abandonnes le journalisme de ton plein gré. Ton crédit est intact et Sylvia t'aurait prêté de l'argent. Elle en a des tas. Pour sûr. Et la prochaine fois tu transigerais sur un autre point. La faim est bonne pour la santé et les tableaux te paraissent plus beaux quand tu as faim. Mais il est tout aussi merveilleux de manger et sais-tu où tu vas aller manger de ce pas ?

Tu vas aller manger et boire un coup chez Lipp.

Il ne fallait pas longtemps pour aller chez Lipp et le plaisir de m'y rendre était accru par les sensations que me rapportaient, au passage, mon estomac, plus encore que mes yeux et mon odorat, le long du chemin. Il y avait peu de monde à la *brasserie* et quand je pris place sur la banquette, contre le mur, avec le miroir dans mon dos et une table devant moi, et quand le garçon me demanda si je voulais une bière, je commandai un *distingué*, une grande chope en verre qui pouvait contenir un bon litre, et une salade de pommes de terre.

La bière était fraîche et merveilleuse à boire. Les *pommes à l'huile* étaient fermes et bien marinées et l'huile d'olive était exquise. Je moulus du poivre noir sur les pommes de terre et trempai le pain dans l'huile d'olive. Après la première grande rasade de bière, je bus et mangeai très lentement. Quand j'eus fait un sort aux *pommes à l'huile*, j'en demandai une nouvelle portion, avec du *cervelas*. C'était une sorte de grosse saucisse de Francfort, lourde et coupée en deux dans le sens de la longueur, assaisonnée avec une sauce spéciale à la moutarde.

Je sauçai mon pain dans l'huile et l'assaisonnement pour n'en rien laisser et je bus lentement la bière jusqu'à ce qu'elle commençât à perdre de sa fraîcheur et je vidai alors ma chope et commandai un *demi* et observai comment on le tirait. Il semblait plus frais que le *distingué* et j'en bus la moitié.

Pourquoi me faire du souci ? pensai-je. Je savais que mes contes étaient bons et que je finirais par trouver un éditeur en Amérique. Quand j'avais abandonné le journalisme, j'étais sûr que mes contes seraient publiés. Mais tous ceux que je présentais m'étaient renvoyés. Ce qui m'avait rendu si confiant, c'était de voir Edward O'Brien accepter *Mon vieux* dans le recueil annuel des *Meilleures Nouvelles* et me dédier le volume de cette année-là. Puis je me mis à rire et je bus encore un peu de bière. Le conte n'avait jamais été publié dans un magazine et O'Brien avait fait une exception pour l'inclure dans son recueil. Je ris de nouveau et le garçon me dévisagea. C'était drôle parce que, en plus de tout, il avait mal orthographié mon nom. Ce conte était l'un de ceux que j'avais conservés quand tous mes écrits avaient été volés à la gare de Lyon, avec la valise de Hadley, le jour où elle avait voulu me faire la surprise de m'apporter mes manuscrits à Lausanne, pour que je puisse y travailler pendant nos vacances en montagne. Elle avait pris les manuscrits, les textes dactylographiés et les doubles, bien classés dans des chemises de papier bulle. J'avais conservé *Mon vieux* pour la seule raison que Lincoln Steffens avait présenté le texte à un éditeur qui l'avait renvoyé entre-temps, de sorte que le manuscrit était en train de voyager par la poste quand tout le reste avait été volé. L'autre conte que je possédais encore était *Là-haut dans le Michigan*, écrit avant la visite de Miss Stein à notre appartement. Je ne l'avais jamais recopié parce qu'elle avait dit qu'il était *inaccrochable*. Il était resté quelque part, dans un tiroir.

Aussi, après notre départ de Lausanne, pendant notre voyage en Italie, j'avais montré cette histoire de chevaux de course à O'Brien, qui était un homme timide, gentil, pâle, avec des yeux bleu pâle et des cheveux plats et raides qu'il coupait lui-même, et qui avait pris pension dans un monastère au-dessus de Rapallo. C'était un sale moment et je pensais que je ne pourrais plus jamais écrire et je lui montrai ce conte comme une sorte de curiosité, comme vous pourriez faire visiter, stupidement, l'habitacle de votre bateau perdu en mer, de quelque incroyable façon, ou comme vous pourriez brandir votre pied encore botté pour en plaisanter après une amputation, à la suite d'un accident. Puis, quand il eut lu le conte, je vis qu'il était beaucoup plus frappé que moi-même. Je n'avais jamais vu quelqu'un qui fût frappé à ce point si ce n'est par la mort ou une intolérable souffrance, sauf Hadley quand elle me dit que mes affaires avaient disparu. Elle pleurait tant et tant qu'elle ne pouvait me dire de quoi il s'agissait. Je lui dis que, même s'il était arrivé quelque chose d'épouvantable, rien ne pouvait être assez affreux pour justifier un tel désespoir, et que, de toute façon, peu importait, et qu'elle ne devait pas s'en faire. Nous nous en sortirions. Finalement, elle me raconta tout. J'étais sûr qu'elle ne pouvait pas avoir emporté les doubles avec le reste et j'engageai quelqu'un pour s'occuper de mes articles à ma place. Je gagnais beaucoup d'argent, alors, dans le journalisme. Et je pris le train pour Paris. C'était tout à fait vrai et je me rappelle ce que je fis la nuit suivante après être entré dans l'appartement et avoir vérifié que tout était vrai. Tout cela était passé maintenant, et Chink m'avait appris qu'on ne doit jamais discuter des pertes après une bataille ; aussi pus-je dire à O'Brien de ne pas se frapper à ce point. Il était probablement bon pour moi d'avoir perdu mes œuvres de jeunesse et je lui racontai tout ce qu'on dit aux soldats pour leur remonter le moral. Je lui dis que j'allais me remettre à écrire des contes, et à ce moment, alors que j'essayais seulement de lui mentir pour le réconforter, je compris que je disais la vérité.

Puis je me mis à penser, chez Lipp, à la première fois où j'avais été de nouveau capable d'écrire une nouvelle, après avoir tout perdu.

C'était sur les hauteurs de Cortina d'Ampezzo, quand j'étais revenu pour y rejoindre Hadley, après avoir dû interrompre notre saison de ski de printemps pour me rendre en mission, en Rhénanie et dans la Ruhr. C'était une histoire très simple intitulée *Hors de saison*, et j'avais volontairement omis d'en raconter la fin, c'est-à-dire que le vieillard se pendait. Cette omission était due à ma nouvelle théorie, selon laquelle on pouvait omettre n'importe quelle partie d'une histoire, à condition que ce fût délibéré, car l'omission donnait plus de force au récit et ainsi le lecteur ressentait plus encore qu'il ne comprenait.

Bien, pensai-je. Maintenant j'écris de telle sorte que personne ne me comprend même plus. Aucun doute là-dessus. Personne n'a besoin de ce genre de littérature. Mais on finira par me comprendre, de même qu'on a toujours fini par comprendre les peintres. Il n'y faut que du temps, et cela exige seulement de la confiance.

Il est nécessaire de se tenir bien en main, soi-même, quand on doit se restreindre sur la nourriture, pour ne pas se laisser obséder par la faim. La faim est une bonne discipline et elle est instructive. Et tant que les autres ne la comprennent pas, vous avez l'avantage sur eux. Oh ! bien sûr, pensai-je, j'ai même tellement pris l'avantage sur eux que je n'ai plus les moyens de manger de façon régulière. Il ne serait pas mauvais que je me laisse un peu rattraper.

Je savais qu'il me fallait écrire un roman. Mais cela me semblait une entreprise impossible, quand j'avais tant de difficulté à écrire des paragraphes où se trouvait déjà distillée, en quelque sorte, toute la matière d'un roman. Il fallait d'abord écrire des récits plus longs, comme on s'entraîne pour des courses plus longues. Lorsque j'avais écrit un roman, précédemment, celui qui avait été perdu avec la valise volée en gare de Lyon, je possédais encore la facilité lyrique du jeune âge, aussi périssable et inconsistante que la jeunesse elle-même. Je savais que mieux valait, sans doute, l'avoir perdu, mais je savais aussi que je devais écrire un roman. Je ne m'y mettrais que plus tard, cependant, au moment où je ne pourrais plus reculer. Je ne l'écrirais qu'en désespoir de cause, quand il n'y aurait plus rien d'autre à faire pour nourrir ma famille. Je serais réduit à l'écrire, lorsque je n'aurais plus le choix et qu'il ne me resterait plus aucun autre recours. Nécessité ferait loi. En attendant, j'écrirais un long récit sur le sujet que je connaissais le mieux.

Entre-temps, j'avais réglé l'addition, j'étais sorti et, après avoir tourné à droite et traversé la rue de Rennes pour éviter la tentation de prendre un café aux Deux-Magots, je remontai à pied la rue Bonaparte, le plus court chemin pour rentrer chez moi.

Quel était le sujet que je connaissais le mieux et sur lequel je n'avais pas encore écrit — ni perdu — un récit ? Qu'est-ce que je connaissais vraiment bien ? Quel sujet me tenait le plus à cœur ? Ce n'était pas une question de choix. Je n'avais pas que le choix des rues qui me ramèneraient le plus vite possible vers un endroit où je pourrais travailler : la rue Bonaparte, la rue Guynemer, puis la rue d'Assas, et la rue Notre-Dame-des-Champs jusqu'à La Closerie des Lilas.

Je m'assis dans un coin, dans la lumière de l'après-midi qui filtrait par-dessus mon épaule, et je me mis à noircir mon cahier. Le garçon m'apporta un *café crème* et j'en bus la moitié quand il fut un peu refroidi et laissai l'autre moitié dans la tasse pendant que j'écrivais. Puis je cessai d'écrire ; mais je me refusais à abandonner le fleuve où je pouvais voir nager une truite dans un trou, tandis que la surface de l'eau se gonflait doucement sous la poussée du courant contre les pilotis du pont. Dans mon récit il s'agissait d'un soldat qui revenait de la guerre bien que la guerre n'y fût même pas mentionnée.

Mais, le lendemain, le fleuve serait toujours là, et il me faudrait le mettre en place, ainsi que tout le paysage et les événements. Et pendant des jours je ferais cela chaque jour. Rien d'autre n'importait. Dans ma poche il y avait l'argent reçu d'Allemagne, de sorte que nul problème ne se posait plus. Une fois cet argent dépensé, il m'en viendrait d'autre.

Il ne me restait plus qu'à me maintenir sain d'esprit et la tête légère jusqu'au moment de me remettre au travail, le lendemain matin.

Ford Madox Ford et le disciple du diable

Il n'était pas de bon café plus proche de chez nous que La Closerie des Lilas, quand nous vivions dans l'appartement situé au-dessus de la scierie, 113, rue Notre-Dame-des-Champs, et c'était l'un des meilleurs cafés de Paris. Il y faisait chaud, l'hiver ; au printemps et en automne, la terrasse était très agréable, à l'ombre des arbres, du côté du jardin et de la statue du maréchal Ney, et il y avait aussi de bonnes tables sous la grande tente, le long du boulevard. Deux des garçons étaient devenus nos amis. Les habitués du Dôme ou de La Rotonde ne venaient jamais à la Closerie. Ils n'y trouvaient aucun visage de connaissance et nul n'aurait levé les yeux sur eux s'ils étaient venus. En ce temps-là, beaucoup de gens fréquentaient les cafés du carrefour Montparnasse-Raspail pour y être vus et, dans un certain sens, ces endroits jouaient le rôle dévolu aujourd'hui aux « commères » des journaux chargées de distribuer des succédanés quotidiens de l'immortalité.

La Closerie des Lilas était, jadis, un café où se réunissaient plus ou moins régulièrement des poètes, dont le dernier, parmi les plus importants, avait été Paul Fort, que je n'avais pas lu. Mais le seul poète que j'y rencontrai jamais fut Blaise Cendrars, avec son visage écrasé de boxeur et sa manche vide retenue par une épingle, roulant une cigarette avec la main qui lui restait. C'était un bon compagnon, tant qu'il ne buvait pas trop et, à cette époque, il était plus intéressant de l'entendre débiter des mensonges que d'écouter les histoires vraies racontées par d'autres. Mais il était le seul poète qui fréquentait La Closerie des Lilas en ce temps-là, et je ne l'y rencontrai qu'une seule fois. La plupart des consommateurs étaient de vieux barbus aux habits râpés, qui venaient avec leurs femmes ou leurs maîtresses, et arboraient ou non le fin ruban rouge de la Légion d'honneur au revers de leur veston. Nous espérions que tous étaient des scientifiques ou des *savants* et ils restaient assis devant leurs apéritifs presque aussi longtemps que les hommes aux costumes plus fripés qui s'installaient devant un *café crème* avec leurs femmes ou leurs maîtresses et arboraient le ruban violet des palmes académiques, qui n'avait rien à voir avec l'Académie française, mais désignait, selon nous, les professeurs et les chargés de cours.

La présence de tous ces gens rendait le café accueillant, car chacun s'intéressait aux autres et aux apéritifs, cafés ou infusions qu'ils consommaient, et aux journaux et magazines fixés à des baguettes pour que leur lecture en fût facilitée, et nul ne songeait à se donner en spectacle.

On y rencontrait aussi d'autres consommateurs, des habitants du quartier fréquentaient la Closerie, certains d'entre eux décorés de la croix de guerre et d'autres avec le ruban jaune et vert de la médaille militaire, et j'observais avec quelle habileté ils remédiaient à la perte d'un de leurs membres, et évaluais la qualité de leurs yeux de verre et l'adresse avec laquelle leurs visages avaient été remodelés. Il y avait toujours une sorte de masque brillant et irisé sur les visages qui avaient été le plus retouchés, un peu comme les reflets d'une piste de neige bien tassée, et nous respections ces consommateurs plus encore que les *savants* et les professeurs, bien que ces derniers eussent probablement rempli leurs devoirs militaires, eux aussi, tout en échappant à la mutilation.

En ce temps-là, nous n'avions aucune confiance en quiconque n'avait pas fait la guerre, mais nous ne faisions jamais non plus entièrement confiance à personne, et pensions souvent que Cendrars aurait pu se montrer un peu plus discret sur la perte de son bras. J'étais heureux qu'il fût venu à la Closerie tôt dans l'après-midi, avant l'arrivée des habitués.

Ce soir-là, j'étais attablé à la terrasse, observant la lumière changeante sur les arbres et les maisons, et le passage des grands chevaux lents sur le boulevard. La porte du café s'ouvrit derrière moi, à ma droite, et un homme en sortit, qui se dirigea vers ma table.

« Ah ! vous voilà », dit-il.

C'était Ford Madox Ford, comme il s'appelait lui-même alors, respirant lourdement sous sa lourde moustache teinte et solidement calé comme une barrique ambulante posée verticalement et élégamment habillée.

« Puis-je m'asseoir à côté de vous ? » demanda-t-il en s'asseyant, tandis que ses yeux d'un bleu lavé, sous les paupières incolores, regardaient vers le boulevard. « J'ai passé plusieurs années de ma vie à lutter pour que ces animaux soient tués humainement, dit-il.

— Vous m'en avez déjà parlé, dis-je.

— Je ne crois pas.

— J'en suis sûr.

— Curieux. Je n'en ai jamais parlé à personne.

— Voulez-vous boire quelque chose ? »

Le garçon attendait et Ford lui dit qu'il prendrait un chambéry-cassis. Le garçon était grand et maigre, avec une tonsure au sommet du crâne, qu'il dissimulait en ramenant ses cheveux pardessus ; il portait une grosse moustache de dragon, à l'ancienne mode ; il répéta la commande.

« Non. Plutôt une *fine à l'eau*, dit Ford.

— Une *fine à l'eau* pour monsieur », dit le garçon, pour s'assurer de la commande.

J'évitais toujours de regarder Ford, quand je le

pouvais, et retenais ma respiration quand j'étais près de lui dans une pièce fermée, mais là nous nous trouvions en plein air et le vent chassait vers lui les feuilles tombées de mon côté, sur le trottoir, de sorte que je le dévisageai délibérément, m'en repentis et regardai en direction du boulevard. La lumière avait encore changé et j'avais raté la transition. Je bus une gorgée pour voir si l'arrivée de mon commensal avait gâté le goût de la boisson, mais la saveur était la même.

« Vous êtes bien maussade, dit-il.

— Non.

— Si. Vous devriez sortir davantage. Je venais justement vous convier aux petites soirées que nous organisons dans cet amusant bal-musette près de la Contrescarpe, rue du Cardinal-Lemoine.

— J'ai vécu à l'étage au-dessus pendant deux ans, avant que vous ne vous installiez à Paris, ces derniers temps.

— Très curieux. Vous en êtes sûr ?

— Oui, dis-je. J'en suis sûr. Le propriétaire de l'endroit avait un taxi et un jour où je devais prendre l'avion il m'a emmené à l'aérodrome et nous nous sommes arrêtés pour boire un verre de vin blanc sur le zinc, au bar de ce petit bal, dans le noir, avant de partir vers le champ d'aviation.

— Je n'ai jamais eu envie de voler, dit Ford. Vous et votre femme, arrangez-vous pour venir au bal-musette, samedi soir. C'est un endroit très gai. Je vais vous dessiner un petit plan pour que vous puissiez trouver l'entrée. Je suis tombé dessus par hasard.

— C'est au 74 rue du Cardinal-Lemoine, dis-je. J'habitais au troisième étage.

— Il n'y a pas de numéro, dit Ford. Mais vous trouverez si vous arrivez à trouver la place de la Contrescarpe. »

Je bus encore une longue gorgée. Le garçon avait apporté à Ford ce qu'il avait commandé, et celui-ci était en train de protester.

« Ce n'était pas un cognac avec de l'eau de Seltz, disait-il d'une voix sévère mais encourageante. Je voulais un vermouth de Chambéry avec du cassis.

— Très bien, Jean, dis-je. Je prendrai la *fine.* Apportez à monsieur ce qu'il demande maintenant.

— Ce que j'avais demandé », corrigea Ford.

À ce moment un homme assez maigre, enveloppé dans une cape, passa sur le trottoir. Il était avec une femme de haute taille et son regard effleura notre table avant de se poser ailleurs, puis il passa son chemin sur le boulevard.

« Vous avez vu comme j'ai refusé de lui rendre son salut ? dit Ford. Vous avez vu comme j'ai refusé ?

— Non. Qui avez-vous refusé de saluer ?

— Belloc, dit Ford. J'ai refusé de le saluer !

— Je n'ai rien remarqué, dis-je. Pourquoi avez-vous refusé ?

— Pour toutes les raisons du monde, dit Ford. Hein, j'ai bien refusé de le saluer ! »

Sa joie était profonde et sans mélange. Je n'avais jamais rencontré Belloc et, à mon avis, il ne nous avait pas vus. On eût dit un homme qui pensait à autre chose et il avait regardé notre table presque machinalement. Cela me gênait de penser que Ford s'était montré grossier envers lui ; comme tout jeune homme en train de faire son éducation, j'avais beaucoup de respect pour Belloc en tant qu'écrivain de la génération antérieure. On comprendrait difficilement cela aujourd'hui, mais en ce temps-là c'était une attitude très répandue.

Je pensais que j'aurais aimé voir Belloc s'arrêter à notre table et faire sa connaissance. La soirée avait été gâchée par l'arrivée de Ford, mais la présence de Belloc aurait pu arranger les choses.

« Pourquoi buvez-vous du cognac ? me demanda Ford. Vous ne savez pas que, pour un jeune écrivain, se mettre à boire du cognac, c'est fatal ?

— Je n'en consomme pas très souvent », dis-je. J'essayai de me rappeler ce qu'Ezra Pound m'avait dit de Ford, de ne jamais être grossier envers lui, de me rappeler qu'il ne mentait que par excès de fatigue, que c'était vraiment un bon écrivain, et qu'il avait eu beaucoup d'ennuis avec sa famille. J'essayai de toutes mes forces de penser à tout cela, mais la présence de Ford en personne, épais, soufflant, répugnant, à portée d'un souffle, rendait la chose difficile. J'essayai néanmoins.

« Expliquez-moi pourquoi il faut refuser de saluer certaines personnes », demandai-je. Jusqu'alors, j'avais pensé que ces mœurs n'existaient que dans les romans d'Ouida. Je n'avais jamais été capable de lire un roman d'Ouida, même dans un hôtel suisse, pendant la saison des sports d'hiver, lorsque le vent humide du Sud se mettait à souffler et qu'on ne trouvait plus rien à lire sauf les laissés-pour-compte publiés par Tauchnitz avant la guerre. Mais je savais, par la vertu de quelque sixième sens, que les personnages refusaient de se saluer les uns les autres, dans les romans d'Ouida.

« Un homme du monde, répliqua Ford, refusera toujours de rendre son salut à une canaille. »

Je bus rapidement une gorgée de cognac.

« Doit-il aussi refuser de saluer un faiseur ? demandai-je.

— Aucun homme du monde ne peut connaître un faiseur.

— Vous ne pouvez donc refuser le salut qu'à des gens dont vous avez fait la connaissance sur un pied d'égalité ?

— Naturellement.

— Et comment un homme du monde a-t-il pu rencontrer une canaille dans ces conditions ?

— Il peut s'être trompé, ou l'autre est devenu une canaille par la suite.

— Qu'est-ce qu'une canaille ? demandai-je. N'est-ce pas quelqu'un qu'on a envie d'étriller jusqu'à ce que mort s'ensuive ?

— Pas nécessairement, dit Ford.

— Ezra est-il un homme du monde ? demandai-je.

— Naturellement pas, dit Ford. Il est américain.

— Un Américain ne peut-il être un homme du monde ?

— Peut-être John Quinn, expliqua Ford. Certains de vos ambassadeurs.

— Myron T. Herrick ?

— Peut-être.

— Henry James était-il un homme du monde ?

— Presque.

— Êtes-vous un homme du monde ?

— Naturellement. J'ai été officier de Sa Majesté.

— C'est très compliqué, dis-je. Suis-je un homme du monde ?

— En aucune façon, dit Ford.

— Alors pourquoi buvez-vous en ma compagnie ?

— C'est en qualité de confrère. Je prends un verre avec un jeune écrivain qui promet.

— Vous avez bien de la bonté, dis-je.

— Vous pourriez être tenu pour un homme du monde en Italie, dit Ford avec magnanimité.

— Mais ne suis-je pas une canaille ?

— Bien sûr que non, mon cher garçon. Qui a jamais prétendu pareille chose ?

— Je pourrais en devenir une, fis-je tristement. En buvant du cognac comme ce soir. C'est ce qui est arrivé à lord Harry Hotspur dans Trollope. Dites-moi, Trollope était-il un homme du monde ?

— Bien sûr que non.

— Vous en êtes sûr ?

— On pourrait en discuter, mais je vous ai donné mon avis.

— Et Fielding ? C'était un magistrat.

— Théoriquement, peut-être.

— Marlowe ?

— Bien sûr que non.

— John Donne ?

— C'était un ecclésiastique.

— C'est passionnant, dis-je.

— Je suis heureux que cela vous intéresse, dit Ford. Je prendrai un cognac avec de l'eau en votre compagnie avant que vous ne partiez. »

Quand Ford s'en alla, la nuit était tombée et j'allai jusqu'au *kiosque* acheter un *Paris-Sport complet*, la dernière édition du journal des turfistes, avec les résultats d'Auteuil et la liste des partants pour la réunion du lendemain à Enghien. Le serveur, Émile, qui avait remplacé Jean à la terrasse, s'approcha de moi pour voir les résultats de la dernière à Auteuil. Un de mes meilleurs amis, qui fréquentait rarement la Closerie, vint s'asseoir à ma table et juste au moment où il commandait un verre à Émile, l'homme maigre à la cape, accompagné par la femme de haute taille, passa devant nous sur le trottoir. Son regard effleura notre table et alla se poser ailleurs.

« C'est Hilaire Belloc, dis-je à mon ami. Ford était ici ce soir et il a refusé de lui rendre son salut.

— Ne sois pas idiot, dit mon ami. C'est Aleister Crowley, le démonologiste. On dit que c'est l'homme le plus méchant du monde.

— Désolé », dis-je.

Avec Pascin, au Dôme

C'était une belle soirée, et j'avais travaillé dur toute la journée et quitté l'appartement au-dessus de la scierie et traversé la cour encombrée de piles de bois, fermé la porte, traversé la rue et j'étais entré, par la porte de derrière, dans la boulangerie qui donne sur le boulevard Montparnasse et j'avais traversé la bonne odeur des fours à pain puis la boutique et j'étais sorti par l'autre issue. Les lumières étaient allumées dans la boulangerie et, dehors, c'était la fin du jour et je marchai dans le soir tombant, vers le carrefour, et m'arrêtai à la terrasse d'un restaurant appelé Le Nègre de Toulouse où nos serviettes de table, à carreaux rouges et blancs, étaient glissées dans des ronds de serviette en bois et suspendues à un râtelier spécial en attendant que nous venions dîner. Je lus le menu polycopié à l'encre violette et vis que le *plat du jour* était du cassoulet. Le mot me fit venir l'eau à la bouche.

M. Lavigne, le patron, me demanda des nouvelles de mon travail et je lui dis que tout allait très bien. Il me dit qu'il m'avait vu travailler à la terrasse de La Closerie des Lilas, tôt dans la matinée, mais qu'il n'avait pas voulu me parler tant je semblais occupé.

« Vous aviez l'air d'un homme tout seul dans la jungle, dit-il.

— Je suis comme un cochon aveugle quand je travaille.

— Mais vous n'étiez pas dans la jungle, monsieur ?

— Dans le bush », dis-je.

Je poursuivis mon chemin, léchant les vitrines et heureux, dans cette soirée printanière, parmi les passants. Dans les trois principaux cafés, je remarquai des gens que je connaissais de vue et d'autres à qui j'avais déjà parlé. Mais il y avait toujours des gens qui me semblaient encore plus attrayants et que je ne connaissais pas et qui, sous les lampadaires soudain allumés, se pressaient vers le lieu où ils boiraient ensemble, dîneraient ensemble et feraient l'amour. Les habitués des trois principaux cafés pouvaient bien en faire autant ou rester assis à boire, à bavarder et à se faire voir par les autres. Les gens que j'aimais et ne connaissais pas allaient dans les grands cafés pour s'y perdre et pour que personne ne les remarque et pour y être seuls et pour y être ensemble. Les grands cafés étaient bon marché, eux aussi, et tous servaient de la bonne bière et des apéritifs à des prix raisonnables, d'ailleurs indiqués sans ambiguïté sur la soucoupe de rigueur.

Ce soir-là, j'avais en tête ces idées très générales et fort peu originales, et je me sentais extraordinairement vertueux parce que j'avais travaillé dur et de façon satisfaisante, alors que j'avais eu, dans la journée, une terrible envie d'aller aux courses. Renoncer à aller aux courses à l'époque où nous étions vraiment pauvres était une nécessité, et cette pauvreté, elle m'était encore trop familière pour que je coure le risque de perdre de l'argent.

De quelque façon qu'on le prît, nous étions toujours pauvres et je faisais encore de petites économies en prétendant, par exemple, que j'étais invité à déjeuner, pour me promener pendant deux heures au Luxembourg et décrire, au retour, mon merveilleux déjeuner à ma femme. Quand vous avez vingt-cinq ans et que vous appartenez naturellement à la catégorie des poids lourds, vous avez très faim lorsque vous sautez un repas. Mais cela aiguise aussi toutes vos perceptions et je découvris que la plupart de mes personnages étaient de gros mangeurs et qu'ils étaient gourmands et gourmets et que la plupart d'entre eux étaient toujours disposés à boire un coup.

Au Nègre de Toulouse, nous buvions du bon vin de Cahors, en quarts, en demi-carafes ou en carafes, généralement coupé d'eau dans la proportion d'un tiers. À la maison, au-dessus de la scierie, nous avions un vin de Corse connu mais peu coûteux. Il était si corsé qu'on pouvait y ajouter son volume d'eau sans le rendre totalement insipide. À Paris, à cette époque-là, vous pouviez vivre très bien avec presque rien et si vous sautiez un repas de temps à autre et ne renouveliez pas votre garde-robe, vous pouviez même faire des économies et vous permettre certains luxes. Mais, en ce temps-là, je n'avais pas les moyens d'aller aux courses, même s'il y avait de l'argent à gagner pour qui aurait eu la possibilité de s'en occuper sérieusement. C'était avant la mise au point des tests par prélèvements de salive et autres méthodes permettant de déceler si un cheval a été dopé, et l'on droguait les chevaux très abondamment. Mais évaluer la forme des chevaux drogués, chercher à détecter les symptômes de leur état au paddock, solliciter au maximum ses propres facultés d'observation au point de rechercher une sorte d'extra-lucidité, miser ensuite sur ces chevaux un argent qu'on ne pouvait se permettre de perdre, ce n'était guère, pour un homme jeune, avec femme et enfant, le moyen de pratiquer avec profit l'exercice à plein temps qu'exige le maniement de la prose.

Je revenais maintenant sur mes pas, après être passé devant Le Select et avoir pris le large à la vue de Harold Stearns qui, je le savais, voudrait me parler de chevaux au moment même où je pensais à ces bêtes avec le sentiment du devoir accompli et la conscience légère du joueur qui s'est abstenu de miser ce jour-là. Plein de ma vertu vespérale, je passai devant la collection d'habitués de La Rotonde avec un grand mépris pour le vice et l'instinct grégaire, et traversai le boulevard en direction du Dôme. Le Dôme était plein, lui aussi, mais les consommateurs étaient des gens qui avaient passé la journée à travailler.

Il y avait des modèles qui avaient posé, et des peintres qui avaient travaillé jusqu'à ce que la lumière vînt à leur manquer ; il y avait des écrivains qui avaient achevé leur journée de travail, pour le meilleur ou pour le pire, et il y avait aussi des buveurs et des phénomènes, dont quelques-uns m'étaient connus et dont certains étaient de simples figurants.

J'allai m'asseoir à une table où se trouvaient Pascin et deux modèles, deux sœurs. Pascin m'avait fait signe de la main tandis que je me tenais debout, sur le trottoir de la rue Delambre, ne sachant si j'allais m'arrêter pour prendre un verre ou passer mon chemin. Pascin était un très bon peintre et il était ivre, constamment, délibérément ivre, et à bon escient. Les deux modèles étaient jeunes et jolies. L'une d'entre elles était très brune, petite, bien faite avec un faux air de fragile dépravation. L'autre était puérile et inintelligente, mais très jolie avec quelque chose de périssable et d'enfantin. Elle n'était pas aussi bien faite que sa sœur, mais personne d'autre non plus, ce printemps-là.

« La bonne et la mauvaise sœur, dit Pascin. J'ai de l'argent. Que voulez-vous boire ?

— *Une demi-blonde,* dis-je au garçon.

— Prenez un whisky, j'ai de l'argent.

— J'aime la bière.

— Si vous aimiez vraiment la bière, vous seriez chez Lipp. Je suppose que vous avez travaillé.

— Oui.

— Ça marche ?

— J'espère.

— Bon. Ça me fait plaisir. Et vous prenez encore goût à la vie ?

— Oui.

— Quel âge avez-vous ?

— Vingt-cinq ans.

— Vous ne voulez pas la baiser ? (Il regarda la brune et sourit.) Elle en a besoin.

— Vous avez dû la baiser suffisamment aujourd'hui. »

Elle me sourit, les lèvres entrouvertes.

« Il est méchant, dit-elle. Mais il est gentil.

— Vous pouvez l'emmener dans mon atelier.

— Pas de cochonneries, dit la blonde.

— Qui est-ce qui te parle à toi ? lui demanda Pascin.

— Personne, mais je donne mon avis.

— Mettons-nous à l'aise, dit Pascin. Le jeune auteur sérieux, le vieux peintre plein de sagesse et d'amitié, et les deux jeunes beautés avec toute la vie devant elles. »

Nous en restâmes là et les filles sirotèrent leurs consommations et Pascin but une autre *fine à l'eau* et je bus ma bière. Mais personne ne se sentait à l'aise sauf Pascin. La fille brune était agitée et se mettait en valeur, offrant son profil pour laisser la lumière jouer sur les plans concaves de son visage en me montrant ses seins, serrés dans le chandail noir. Ses cheveux étaient coupés court ; ils étaient noirs et brillants comme ceux d'une Orientale.

« Tu as posé toute la journée, lui dit Pascin. Est-ce que tu dois vraiment faire le mannequin avec ce chandail, au café ?

— Ça me plaît, dit-elle.

— Tu ressembles à un jouet javanais, dit-il.

— Pas les yeux, dit-elle. C'est plus calé que ça.

— Tu ressembles à une pauvre petite *poupée* pervertie.

— Peut-être, dit-elle. Mais je vis. On ne peut pas en dire autant de vous.

— On verra ça.

— Bon, dit-elle. J'aime les expériences.

— Tu n'en as pas fait aujourd'hui ?

— Oh ! ça ! » dit-elle, et elle se tourna pour recevoir les derniers rayons du soleil sur son visage. « Vous étiez tout excité par votre travail, c'est tout. Il est amoureux de ses toiles, me dit-elle. C'est une espèce de vice.

— D'après toi, il faudrait te peindre et te payer et te baiser pour garder l'esprit lucide, et t'aimer en plus, dit Pascin. Pauvre petite poupée.

— Vous m'aimez, n'est-ce pas, monsieur ? me demanda-t-elle.

— Beaucoup.

— Mais vous êtes trop grand, dit-elle tristement.

— Tout le monde a la même taille dans un lit.

— Ce n'est pas vrai, dit sa sœur. Et j'en ai assez de cette conversation.

— Écoute, dit Pascin. Si tu crois que je suis amoureux des toiles, je ferai ton portrait à l'aquarelle, demain.

— Quand est-ce qu'on mange ? demanda la sœur. Et où ?

— Vous venez avec nous ? demanda la brune.

— Non. Je vais dîner avec ma *légitime.* »

C'est ainsi qu'on disait alors. Maintenant, on dit « *ma régulière* ».

« Vous devez y aller ?

— Je dois et je veux.

— Allez-y donc, dit Pascin. Et ne tombez pas amoureux du papier de votre machine à écrire.

— Si c'est le cas, j'écrirai au crayon.

— Peinture à l'eau, demain, dit-il. Bien, mes enfants, je vais prendre un autre verre et ensuite nous irons dîner où vous voudrez.

— Chez Viking, dit la brune.

— Moi aussi, pria sa sœur.

— Très bien, accepta Pascin. Bonsoir, *jeune homme.* Dormez bien.

— Vous aussi.

— Elles me tiennent éveillé, dit-il. Je ne dors jamais.

— Dormez ce soir.

— Après être allé chez les Vikings ? »

Il ricana. Avec son chapeau sur la nuque, il ressemblait à un personnage de Broadway, vers la fin du siècle, bien plus qu'au peintre charmant qu'il était, et plus tard, quand il se fut pendu, j'aimais me le rappeler tel qu'il était ce soir-là, au Dôme. On dit que les germes de nos actions futures sont en nous, mais je crois que pour ceux qui plaisantent dans la vie, les germes sont enfouis dans un meilleur terreau, sous une couche plus épaisse d'engrais.

Ezra Pound et le Ver mensurateur

Ezra Pound se comportait toujours en ami dévoué et il rendait toujours des services à tout le monde. L'atelier où il vivait avec sa femme Dorothy, rue Notre-Dame-des-Champs, était aussi pauvre que celui de Gertrude Stein était riche. La lumière y était excellente, la pièce était chauffée par un poêle, et l'on y voyait les œuvres de peintres japonais que connaissait Ezra. Tous étaient des seigneurs en leur pays et ils avaient de longs cheveux, noirs et brillants, qui se rabattaient sur le devant du crâne à chaque courbette. Ils m'impressionnaient beaucoup mais je n'aimais pas leurs peintures. Quand je ne les comprenais pas, je ne subissais même pas l'attrait du mystère, et quand je les comprenais elles ne signifiaient rien pour moi. J'en étais désolé mais n'y pouvais rien.

J'aimais beaucoup, par contre, les œuvres de Dorothy et je la trouvais très bien faite, et merveilleusement belle. J'aimais aussi la tête sculptée d'Ezra, par Gaudier-Brzeska, et j'aimais toutes les photos des œuvres de cet artiste qu'Ezra me montra et qui se trouvaient dans le livre écrit par Ezra sur le sculpteur. Ezra aimait aussi les tableaux de Picabia, mais je ne leur trouvais alors aucune valeur. Je n'aimais pas davantage les œuvres de Wyndham Lewis qu'Ezra aimait beaucoup. Il aimait les œuvres de ses amis, ce qui témoignait d'une belle loyauté, mais pouvait entraîner bien des erreurs de jugement. Nous n'en discutions jamais car je ne parlais pas des choses que je n'aimais pas. Si quelqu'un aime les tableaux ou les écrits de ses amis, pensais-je, c'est probablement comme s'il aimait sa famille et il ne serait pas poli de les critiquer. Parfois, vous pouvez longtemps vous retenir de critiquer la famille — la vôtre ou celle de votre femme — mais c'est encore plus facile quand il s'agit de tableaux car ils ne peuvent vous infliger de terribles dommages ni vous blesser au plus profond de vous-même comme font les familles. Quant aux mauvais peintres, il n'y a qu'à les ignorer. Mais même quand vous avez appris à ignorer la famille, à ne pas l'écouter, à ne pas répondre aux lettres, une famille peut se montrer dangereuse de bien des façons. Ezra était meilleur et plus chrétien que moi envers son prochain. Son style, quand il se trouvait en pleine possession de ses moyens, était si parfait, et lui-même était si sincère dans ses erreurs, si attaché à ses fautes, et si dévoué à autrui, que je l'ai toujours tenu pour une sorte de saint. Il était irascible, certes, mais peut-être beaucoup d'autres saints l'étaient-ils aussi.

Ezra voulait que je lui apprenne à boxer et c'est pendant une séance d'entraînement, tard dans l'après-midi, que je rencontrai chez lui, certain jour, Wyndham Lewis. Ezra ne boxait pas depuis très longtemps et j'étais gêné de le voir s'exhiber devant un de ses amis et je tâchai de le faire apparaître sous son meilleur jour. Mais ce n'était pas facile car il connaissait l'escrime et j'avais du mal à le faire boxer de la main gauche, et à lui faire avancer le pied gauche et amener le pied droit dans la position voulue. Ce n'était encore que l'abc. Je ne pus jamais lui apprendre à balancer un crochet du gauche. Quant à le convaincre de ne pas tendre le bras droit, autant remettre la leçon aux calendes.

Wyndham Lewis portait un chapeau noir, à larges bords, comme on n'en voyait plus dans le quartier, et il était habillé comme s'il sortait de *La Bohème.* Son visage me faisait penser à une grenouille, pas à un crapaud-buffle mais à une grenouille tout à fait ordinaire, pour qui Paris eût été une mare trop grande. À cette époque nous pensions qu'un écrivain ou un peintre avait le droit de s'habiller comme il pouvait, et qu'il n'y avait pas d'uniforme officiel pour un artiste ; mais Lewis portait l'uniforme des artistes d'avant-guerre. Il était gênant à regarder, tandis qu'il observait dédaigneusement comment j'esquivais les gauches d'Ezra ou les bloquais avec le gant de la main droite ouverte.

Je croyais préférable d'interrompre la séance, mais Lewis nous pria de continuer et je pus voir que, ne comprenant rien à ce qui se passait, il attendait, dans l'espoir de me voir blesser Ezra. Il ne se passa rien. Je n'attaquai jamais, mais laissai Ezra multiplier ses assauts, m'envoyer quelques taloches du droit et se découvrir excessivement à gauche, après quoi je dis que nous en avions terminé et je m'aspergeai avec un pichet d'eau, m'essuyai avec une serviette et remis mon gilet.

Nous prîmes un verre de quelque chose et j'écoutai Ezra et Lewis parler des gens de Londres et de Paris. J'observais attentivement Lewis sans en avoir l'air, comme font les boxeurs, et je ne crois pas avoir jamais vu quelqu'un qui eût un air plus répugnant. Il est des hommes qui portent sur eux la marque du mal comme les pur-sang affichent leur race. Ils ont la dignité d'un *chancre* dur. Lewis ne portait pas la marque du mal ; il avait seulement un air répugnant.

Sur le chemin du retour je tentai de discerner ce qu'il évoquait pour moi, et il évoquait en effet différentes choses ; toutes relevaient de la médecine, sauf une : le jus de panards, en termes d'argot. Je tentai de me remémorer ses traits en détail pour les décrire, mais je ne pus me rappeler que ses yeux. Sous le chapeau noir, quand ils m'étaient apparus pour la première fois, on eût dit les yeux d'un sadique malchanceux.

« J'ai rencontré l'homme le plus répugnant que j'aie jamais vu, aujourd'hui, dis-je à ma femme.

— Tatie, ne m'en parle pas, dit-elle. Je t'en prie, ne m'en parle pas. Nous allons juste nous mettre à table. »

Une semaine plus tard environ, je rencontrai Miss Stein et lui dis que j'avais fait la connaissance de Wyndham Lewis et lui demandai si elle l'avait jamais rencontré.

« Je l'appelle "le Ver mensurateur", dit-elle. Il vient de Londres et, quand il voit un bon tableau, il sort un crayon de sa poche et il en prend toutes les mesures en se servant de son crayon et de son pouce. Et il examine, et il mesure, et il cherche à savoir exactement comment c'est fait. Puis il rentre à Londres et il essaie de le refaire et il n'y parvient pas, parce qu'il a laissé échapper le principal. »

Ainsi, je pensai à lui désormais comme au « Ver mensurateur ». C'était un nom plus charitable et plus chrétien que celui auquel j'avais pensé moi-même. Plus tard, je m'efforçai d'éprouver de l'amitié pour lui comme pour presque tous les amis d'Ezra, quand celui-ci m'expliquait les raisons de leur attitude. Mais telle fut ma première impression, quand je fis connaissance de Lewis dans l'atelier d'Ezra.

Une bien étrange conclusion

La conclusion de mes rapports avec Gertrude Stein fut bien étrange. Nous étions devenus très bons amis et je lui avais rendu un certain nombre de services matériels ; j'avais, par exemple, obtenu que son grand ouvrage commençât à paraître en feuilletons dans la revue de Ford et j'avais aidé à dactylographier le manuscrit et à corriger les épreuves, et notre amitié était devenue plus étroite que je n'aurais pu l'espérer. Mais cela ne mène jamais à grand-chose quand un homme se lie d'amitié avec une femme remarquable, bien qu'on y puisse trouver un certain agrément avant que la situation ne devienne meilleure ou pire, et cela ne mène généralement à rien quand la femme a de grandes ambitions littéraires. Une fois, comme je m'excusais de ne pas m'être présenté au 27 rue de Fleurus, pendant un certain temps, alléguant que j'ignorais si Miss Stein serait chez elle, elle dit : « Mais, Hemingway, vous êtes le maître ici, dans tous les sens du terme. Vous le savez bien. Venez n'importe quand et la femme de chambre (elle la désigna par son nom que j'ai oublié depuis) s'occupera de vous et je veux que vous fassiez ici comme chez vous, en m'attendant. » Je n'en abusai pas mais parfois j'entrais à l'improviste et la femme de chambre me servait à boire et je regardais les tableaux et si Miss Stein ne rentrait pas je remerciais la femme de chambre, laissais quelque message et m'en allais. Certain jour, Miss Stein se préparait à descendre en voiture dans le Midi avec une compagne, et elle m'avait demandé d'aller la voir dans la matinée afin de prendre congé. Elle nous avait demandé d'aller la voir, Hadley et moi — nous habitions alors à l'hôtel —, mais Hadley et moi avions d'autres projets et il était d'autres endroits où nous voulions nous rendre. Mais vous savez comment cela se passe : vous ne dites rien, vous espérez toujours pouvoir concilier ceci avec cela, et en fin de compte vous n'y parvenez pas. Je connaissais déjà un peu les moyens qui permettent d'éluder les visites. Il m'avait bien fallu les apprendre. Beaucoup plus tard, Picasso me raconta qu'il avait toujours promis aux riches d'aller les voir quand ils l'invitaient, tant cette promesse les rendait heureux, et ensuite il arrivait toujours quelque chose qui l'empêchait de remplir ses obligations. Mais cela n'avait rien à voir avec Miss Stein que ces propos ne visaient pas.

C'était un adorable jour de printemps et je descendis de la place de l'Observatoire à travers le petit Luxembourg, les marronniers étaient en fleur et il y avait beaucoup d'enfants qui jouaient sur le gravier des allées, avec des gouvernantes assises sur des bancs, et je vis des ramiers dans les arbres et j'en entendais d'autres que je ne pouvais pas voir.

La femme de chambre ouvrit la porte avant même d'entendre mon coup de sonnette et me dit d'entrer et d'attendre. Miss Stein descendrait d'un moment à l'autre. Il n'était pas midi, mais la femme de chambre remplit un verre d'*eau-de-vie* qu'elle me mit dans la main avec un clin d'œil joyeux. L'alcool incolore était bon au palais, et je l'avais encore dans la bouche quand j'entendis quelqu'un qui parlait à Miss Stein, comme je n'ai jamais entendu personne parler à autrui ; jamais, nulle part, jamais.

Puis la voix de Miss Stein me parvint, persuasive, implorante : « Non, mon minet. Non. Non, je t'en prie, non. Je ferai n'importe quoi, mon minet, mais je t'en prie, ne fais pas ça. Je t'en prie, non. Je t'en prie, non, mon minet. »

J'avalai l'alcool et reposai le verre sur la table, et me dirigeai vers la porte. La femme de chambre me menaça du doigt et chuchota :

« Ne vous en allez pas. Elle descend tout de suite.

— Je dois m'en aller », dis-je, et j'essayai de ne pas en entendre davantage en sortant, mais cela continuait et pour ne plus entendre il eût fallu être déjà sorti. C'était pénible à entendre, et les réponses étaient pires.

Dans la cour, je dis à la femme de chambre :

« Dites-lui, s'il vous plaît, que je suis venu et que je vous ai rencontrée dans la cour. Que je ne pouvais pas attendre parce qu'un de mes amis est malade. Dites-lui *bon voyage* de ma part. Je lui écrirai.

— *C'est entendu*, monsieur. Quelle pitié que vous ne puissiez pas attendre.

— Oui, dis-je. Quelle pitié ! »

C'est ainsi que cela finit pour moi, assez stupidement ; mais je continuai à remplir les petites tâches qu'elle m'assignait, à faire les visites indispensables, amenant les gens qu'elle voulait inviter et attendant d'être congédié, en même temps que la plupart de ses amis masculins, quand le moment fut venu et que de nouvelles amitiés remplacèrent les anciennes. Il était triste de voir des tableaux sans valeur accrochés désormais à côté des belles toiles, mais cela n'avait plus d'importance. Pas pour moi. Elle cherchait querelle à presque tous ceux d'entre nous qui l'avaient aimée, excepté Juan Gris avec qui elle ne pouvait se disputer parce qu'il était mort. Je ne suis pas certain d'ailleurs qu'il en aurait été affecté, car il avait montré dans ses tableaux que rien ne pouvait plus l'affecter.

Finalement elle se brouilla même avec ses nouvelles relations, mais déjà aucun de nous n'était plus dans le coup. Elle se mit à ressembler à un empereur romain ; et tant mieux pour ceux qui aimaient les femmes ressemblant à des empereurs romains. Mais Picasso avait fait son portrait et je pouvais me la rappeler lorsqu'elle ressemblait à une paysanne du Frioul.

À la fin, tout le monde, ou presque tout le monde, se réconcilia, afin de ne pas paraître collet monté ni prude. J'en fis autant. Mais je ne pus jamais redevenir vraiment son ami, ni par le cœur ni par l'esprit. Le pis c'est quand vous êtes séparé d'un ami par l'esprit. Mais c'était plus compliqué que cela.

L'homme marqué par la mort

Le soir où je rencontrai Ernest Walsh, le poète, dans l'atelier d'Ezra Pound, il était avec deux filles en manteaux de vison ; une voiture du Claridge, longue et brillante, l'attendait dans la rue, avec un chauffeur en livrée. Les filles étaient blondes et elles avaient fait la traversée sur le même bateau que Walsh et celui-ci les avait emmenées voir Ezra. Tous trois avaient débarqué la veille même.

Ernest Walsh était brun, vibrant, irlandais de la tête aux pieds, poétique, et manifestement il était marqué par la mort, comme un personnage de film. Il bavardait avec Ezra et je conversai avec les jeunes filles qui me demandèrent si j'avais lu les poèmes de Mr Walsh. Je n'en avais jamais lu et l'une des filles sortit une revue à couverture verte, un exemplaire de *Poetry, A Magazine of Verse* publié par Harriet Monroe, et me montra des poèmes de Walsh qui s'y trouvaient.

« On lui donne douze cents dollars pour chacun, dit-elle.

— Pour chaque poème », dit l'autre.

Je me rappelais que cette même revue me payait à raison de douze dollars la page.

« Ce doit être un très grand poète, dis-je.

— Il gagne plus qu'Eddie Guest, dit la première des filles. Et même plus que cet autre poète, vous savez…

— Kipling, dit l'amie.

— Plus que n'importe qui, dit la première.

— Allez-vous rester longtemps à Paris ? leur demandai-je.

— Non, pas vraiment. Nous sommes avec un groupe d'amis.

— Nous sommes venues sur ce bateau, vous savez. Mais il n'y avait vraiment personne à bord. Excepté Mr Walsh, bien sûr.

— Est-ce qu'il joue aux cartes ? » demandai-je.

Elle me regarda, déçue mais compréhensive.

« Non. Il n'a pas besoin de ça, quand il peut écrire les vers qu'il écrit.

— Sur quel bateau repartez-vous ?

— Ça dépendra. Ça dépendra des bateaux et de toutes sortes de choses. Est-ce que vous pensez à rentrer, vous aussi ?

— Non, tout va bien pour moi, ici.

— C'est ici un quartier pauvre, n'est-ce pas ?

— Oui, mais très agréable. Je travaille dans les cafés et je vais aux courses.

— Pouvez-vous aller aux courses dans cette tenue ?

— Non, c'est ma tenue de café.

— C'est plutôt joli, dit une des filles. J'aimerais bien connaître un peu cette vie de cafés. Pas toi, mon chou ?

— Oh ! oui », dit l'autre.

Je notai leurs noms sur mon calepin et promis de les appeler au Claridge. Elles étaient bien gentilles et je leur dis au revoir et aussi à Walsh et à Ezra. Walsh entretenait toujours Ezra avec beaucoup de véhémence.

« N'oubliez pas, dit la plus grande des deux filles.

— Impossible », dis-je, et je leur serrai la main à l'une et à l'autre.

La première chose que m'en dit Ezra fut que Walsh avait pu quitter le Claridge sans ennuis, grâce à la caution de quelques admiratrices de la poésie et des jeunes poètes marqués par la mort. Il m'annonça, peu après, que Walsh avait reçu ces subventions importantes, d'une autre origine, et allait créer dans le quartier une nouvelle revue, dont il serait codirecteur.

En ce temps-là, le *Dial*, revue littéraire américaine publiée par Scofield Thayer, décernait chaque année un prix littéraire de mille dollars, je crois, à l'un de ses collaborateurs. C'était alors une grosse somme pour un simple écrivain, outre le prestige qui s'y ajoutait, et le prix avait été attribué à divers auteurs, tous méritants, bien entendu ; en ce temps-là, deux personnes pouvaient, avec cinq dollars par jour, vivre confortablement en Europe, et même voyager.

La revue trimestrielle dont Walsh serait l'un des codirecteurs était censée attribuer, elle aussi, une somme importante au collaborateur dont l'œuvre serait tenue pour la meilleure de l'année, au terme des quatre premiers numéros.

Il était difficile de dire si le bruit s'en répandit par suite d'indiscrétions, de commérages ou de confidences ; il faut toujours croire et espérer que tout demeura dans les limites de la plus rigoureuse honnêteté. On ne put, en tout cas, rien reprocher à Walsh, à ce sujet, en sa qualité de codirecteur.

Peu après que j'eus entendu parler de ce prétendu prix, Walsh m'invita à déjeuner dans le meilleur restaurant et le plus cher du quartier Latin. Après les huîtres — de somptueuses *marennes* plates, légèrement cuivrées, fort différentes de mes habituelles *portugaises* peu coûteuses — et une bouteille de pouilly-fuissé, il entreprit d'en venir délicatement au sujet. Il semblait avoir l'intention de m'entuber, comme il avait entubé les poules du bateau — si toutefois c'étaient des poules et s'il avait réussi à les entuber —, et quand il me demanda si je voulais une autre douzaine de ces huîtres plates, comme il les appelait, je dis que j'en reprendrais avec grand plaisir. Il ne se soucia pas de se montrer marqué par la mort, devant moi, et j'en éprouvai quelque soulagement. Il savait que je savais qu'il était tubard, et que tout entubeur qu'il était, il crèverait de sa tubarderie, et il ne chercha même pas à tousser, ce dont je lui fus reconnaissant étant donné que nous étions à table. Je me demandai s'il avalait ses huîtres plates comme les putains de Kansas City, qui étaient marquées par la mort et par tout le reste, et qui cherchaient toujours à avaler du « semen » comme un remède souverain contre la tuberculose, mais je ne le lui demandai pas. J'entamai ma seconde douzaine d'huîtres plates, servies sur un lit de glace pilée, dans un plat en argent, et observai les bords bruns et incroyablement délicats réagir et se crisper en recevant, goutte à goutte, le jus du citron que je pressais au-dessus de la coquille, ou quand je tranchais le pédoncule, avant de porter la chair à ma bouche où je la mastiquais consciencieusement.

« Ezra est un grand, grand poète, dit Walsh, en me regardant avec ses yeux sombres de poète.

— Oui, dis-je, et un chic type.

— Noble, dit Walsh, vraiment noble. »

Nous mangeâmes et bûmes en silence, en hommage à la noblesse d'Ezra. Sa présence me manquait ; j'aurais aimé qu'il fût là. Il n'avait pas les moyens de se payer des *marennes*, lui non plus.

« Joyce est grand, dit Walsh. Grand, grand.

— Grand, dis-je. Et c'est un ami sûr. »

Nous étions devenus amis au cours de cette merveilleuse période qui suivit la publication d'*Ulysse* et la mise en train de ce que l'on appela longtemps « Work in Progress ». Je pensai à Joyce et différentes choses me revinrent en mémoire.

« Comme je regrette que ses yeux soient en aussi mauvais état, dit Walsh.

— Lui aussi, dis-je.

— C'est le drame de notre époque, me dit Walsh.

— À chacun ses maux, dis-je pour essayer d'égayer le repas.

— Vous n'en avez pas. » Il déploya tout son charme et même en rajouta en mon honneur, et ensuite il se montra marqué par la mort.

« Vous voulez dire que je ne suis pas marqué par la mort ? » demandai-je ; je ne pus m'en empêcher.

« Non, vous êtes marqué pour la Vie. » Il prononça le mot avec une majuscule.

« Donnez-moi le temps », dis-je.

Il voulait un bon steak, saignant, et je commandai deux tournedos béarnaise ; j'estimai que le beurre lui ferait du bien.

« Un peu de vin rouge ? » demanda-t-il.

Le *sommelier* fit son apparition et je commandai un châteauneuf-du-pape. Je me promènerais ensuite le long des quais pour dissiper ses effets. Il dormirait ou ferait ce qu'il voudrait pour cuver son vin. Le mien ne m'empêcherait pas de vaquer à mes affaires, pensai-je.

Les confidences vinrent au moment où nous finissions nos steaks pommes frites ; nous avions déjà vidé aux deux tiers la bouteille de châteauneuf-du-pape, qui n'est pas un vin recommandé pour le déjeuner.

« Inutile de tourner autour du pot, dit-il. Vous savez que vous aurez le prix, n'est-ce pas ?

— Moi ? dis-je. Et pourquoi ?

— Vous l'aurez », dit-il.

Il se mit à parler de mes œuvres et je cessai de l'écouter. Cela me rendait malade d'entendre les gens parler de mes œuvres devant moi, et je le regardais, avec son air d'être marqué par la mort, et je pensais espèce d'entubeur tu es en train de m'entuber parce que tu es tubard. J'ai vu un bataillon entier couché dans la poussière de la route, et un homme sur trois était mort, ou pis, et ils ne portaient pas de marques spéciales, tous voués à la poussière, et toi, avec ton air d'être marqué par la mort, toi, espèce d'entubeur tubard, tu vis de ta mort. Maintenant tu vas essayer de m'entuber. Ne m'entube pas et tu ne seras pas entubé. La mort ne l'entubait pas, elle. Elle le tuait, tout simplement.

« Je ne crois pas que je le mérite, Ernest, dis-je, tout heureux de pouvoir l'appeler par mon propre prénom, que je détestais. En outre, Ernest, ce ne serait pas moral, Ernest.

— C'est drôle que nous ayons le même prénom, n'est-ce pas ?

— Oui, Ernest, dis-je. C'est un prénom qu'il nous faudra assumer toute notre vie. Vous voyez ce que je veux dire, n'est-ce pas, Ernest ?

— Oui, Ernest », dit-il.

Il me fit l'honneur de toute sa sympathie, la plus triste et la plus irlandaise, sans compter le charme.

Ainsi, je me montrai toujours plein de bienveillance pour lui et pour sa revue et quand il eut des hémorragies et dut quitter Paris en me demandant de surveiller le travail des imprimeurs qui ne parlaient pas anglais, je fis le nécessaire. J'avais assisté à l'une de ses hémorragies et ce n'était pas du chiqué, et je savais qu'il en mourrait, pour sûr, et j'avais alors plaisir à me montrer extrêmement gentil envers lui, à un moment où je me débattais parmi beaucoup de difficultés personnelles, de même que j'avais plaisir à l'appeler Ernest. J'aimais aussi et admirais sa codirectrice. Elle ne m'avait promis aucun prix. Elle cherchait seulement à publier une bonne revue et à rémunérer convenablement ses collaborateurs.

Un jour, bien plus tard, je rencontrai Joyce qui se promenait sur le boulevard Saint-Germain après avoir été assister, tout seul, à une matinée. Il aimait entendre les acteurs bien qu'il ne pût les voir. Il m'invita à prendre un verre et nous allâmes aux Deux-Magots où nous commandâmes des sherrys secs, bien que vous ayez lu que nous buvions exclusivement du vin blanc de Suisse.

« Comment va Walsh ? demanda Joyce.

— Qui est mort, qui est vivant ? dis-je.

— Est-ce qu'il vous avait promis le prix ? demanda Joyce.

— Oui.

— Je m'en doutais, dit Joyce.

— Il vous l'a promis aussi ?

— Oui », dit Joyce. Puis, après un silence, il demanda : « Pensez-vous qu'il l'ait promis à Pound ?

— Je ne sais pas.

— Mieux vaut ne pas le lui demander », dit Joyce.

Nous changeâmes de sujet. Je racontai à Joyce comment j'avais rencontré Walsh dans l'atelier d'Ezra, avec les filles en longs manteaux de fourrure, et il apprécia beaucoup l'histoire.

Evan Shipman à la Closerie

Depuis le jour où j'avais découvert la librairie de Sylvia Beach, j'avais lu toutes les œuvres de Tourgueniev et toutes celles de Gogol qui avaient été traduites par Constance Garnett et les traductions anglaises de Tchekhov. À Toronto, avant même notre arrivée à Paris, j'avais entendu dire que Katherine Mansfield avait écrit d'excellentes nouvelles, mais, comparée à Tchekhov, elle me faisait penser à une jeune vieille fille qui conterait habilement des récits artificiels, à côté d'un médecin plein d'expérience et de lucidité qui saurait dire les choses, bien et simplement. Mansfield était de la petite bière : mieux valait boire de l'eau. Encore que Tchekhov ne fût pas de l'eau, sauf pour la limpidité. Certains de ses récits semblaient purement journalistiques. Mais il y en avait aussi de merveilleux.

Dans Dostoïevski, il y avait certaines choses croyables et auxquelles on ne pouvait croire, mais d'autres aussi qui étaient si vraies qu'elles vous transformaient au fur et à mesure que vous les lisiez ; elles vous enseignaient la fragilité et la folie, la méchanceté et la sainteté et les affres du jeu, comme Tourgueniev vous enseignait les paysages et les routes, et Tolstoï les mouvements de troupes, le terrain et les forces en présence, officiers et soldats, et le combat. Après avoir lu Tolstoï, on trouvait que les récits de Stephen Crane sur la guerre de Sécession sortaient tout droit de l'imagination brillante d'un enfant malade qui n'avait jamais fait la guerre mais avait lu seulement les récits de batailles et vu les photographies de Brady que j'avais eues moi-même sous les yeux chez mes grands-parents. Avant d'avoir lu *La Chartreuse de Parme* de Stendhal, je n'avais lu aucune description fidèle de la guerre, sauf dans Tolstoï, et le merveilleux récit de la bataille de Waterloo par Stendhal était un accident dans un livre assez ennuyeux. Découvrir tout ce monde nouveau d'écrivains, et avoir du temps pour lire, dans une ville comme Paris où l'on pouvait bien vivre et bien travailler, même si l'on était pauvre, c'était comme si l'on vous avait fait don d'un trésor. Vous pouviez emporter ce trésor avec vous si vous voyagiez ; et même à la montagne, en Suisse et en Italie où nous allions avant de découvrir Schruns dans la haute vallée autrichienne du Vorarlberg, les livres étaient toujours là, de sorte que vous pouviez vivre dans ce nouveau monde que vous aviez découvert ; la neige et les forêts et les glaciers et les problèmes de l'hiver et votre refuge de haute montagne, celui de l'hôtel Taube, dans le village, pendant le jour ; et, la nuit, cet autre monde merveilleux que les écrivains russes vous abandonnaient. D'abord, il y eut les Russes. Puis les autres. Mais pendant longtemps, ce furent les Russes.

Je me rappelle avoir demandé à Ezra, certain jour où nous revenions du tennis, là-bas, sur le boulevard Arago, et qu'il m'avait invité à prendre un verre dans son atelier, ce qu'il pensait vraiment de Dostoïevski.

« À vrai dire, Hem, dit Ezra, je n'ai jamais lu les *Rrousses.* »

C'était une réponse franche et Ezra n'en faisait jamais d'autres, mais je me sentais mal à l'aise, car il était le critique que j'aimais le plus, en qui j'avais la plus grande confiance, l'homme qui croyait au *mot juste* — le seul mot approprié à chaque cas —, l'homme qui m'avait appris à me méfier des adjectifs comme j'apprendrais plus tard à me méfier de certaines gens dans certaines situations, et je voulais savoir ce qu'il pensait d'un écrivain qui n'avait presque jamais employé le *mot juste* et n'en avait pas moins donné vie à ses personnages, en certains cas, comme presque personne n'avait jamais réussi à le faire.

« Limite-toi aux Français, dit Ezra, ils ont beaucoup à t'apprendre.

— Je sais, dis-je. J'ai beaucoup à apprendre de tout le monde. »

Plus tard, après avoir quitté l'atelier d'Ezra, en route vers la scierie, j'explorai du regard la rue encaissée entre les hautes maisons, jusqu'à la trouée, au bout, où apparaissaient des arbres dépouillés, et derrière, la façade lointaine du café Bullier, de l'autre côté du large boulevard Saint-Michel, et je poussai la porte et traversai la cour pleine de bois fraîchement scié et je posai ma raquette dans sa presse à côté des marches qui conduisaient au dernier étage du pavillon. J'appelai dans l'escalier mais il n'y avait personne à la maison.

« Madame est sortie avec la *bonne*, et le bébé aussi », me fit savoir l'épouse du patron de la scierie. C'était une femme difficile, trop potelée et aux cheveux cuivrés. Je la remerciai. « Un *jeune homme* est venu vous voir, dit-elle, utilisant cette expression au lieu du traditionnel monsieur. Il a dit qu'il serait à la Closerie.

— Merci bien, dis-je. Si Madame rentre, veuillez lui dire que je suis à la Closerie.

— Elle est sortie avec des amis », dit la femme, et, se drapant dans sa robe de chambre violette, elle regagna, sur ses hauts talons, le seuil de son propre *domaine*, sans refermer la porte.

Je descendis la rue entre les hautes maisons blanches, sales et lézardées, tournai à droite sur le terre-plein dégagé et ensoleillé et pénétrai dans l'ombre de la Closerie, zébrée par quelques derniers rayons.

Il n'y avait là personne de ma connaissance et

je sortis sur la terrasse où je trouvai Evan Shipman qui m'attendait. C'était un bon poète, amateur et connaisseur de chevaux, de prose et de peinture. Il se leva et je le vis, grand et pâle, et maigre, avec sa chemise blanche, sale et usée au col, sa cravate soigneusement nouée, son costume gris, usé et froissé, ses doigts tachés, plus foncés que ses cheveux, ses ongles sales et son sourire affectueux, plein d'humilité, malgré ses lèvres pincées sur des dents qu'il ne voulait pas montrer.

« C'est bon de te voir, Hem, dit-il.

— Comment ça va, Evan ? demandai-je.

— Pas très fort, dit-il. Mais je crois que je me suis quand même débarrassé de mon "Mazeppa". Tu vas bien ?

— Je crois, dis-je. J'étais sorti pour faire une partie de tennis avec Ezra quand tu es venu.

— Ezra va bien ?

— Très bien.

— Ça me fait plaisir. Hem, tu sais, je crois que la femme de ton propriétaire ne m'aime pas. Elle n'a pas voulu me laisser t'attendre en haut de l'escalier.

— Je la préviendrai, dis-je.

— Pas la peine. Je peux toujours t'attendre ici. C'est très agréable, avec ce rayon de soleil, maintenant, n'est-ce pas ?

— C'est l'automne, dis-je. Je ne crois pas que tu t'habilles assez chaudement.

— Il ne fait frais que le soir, dit Evan. Je mettrai mon manteau.

— Tu sais où il est ?

— Non, mais il est certainement en lieu sûr.

— Comment le sais-tu ?

— Parce que j'ai laissé le poème dans la poche. » Il rit de bon cœur, en pinçant les lèvres pour ne pas montrer ses dents. « Prends un whisky avec moi, Hem.

— Très bien. »

Jean apporta la bouteille et les verres et deux soucoupes à dix francs avec le siphon. Il n'utilisait pas de mesure et versait le whisky dans les verres jusqu'à ce qu'ils fussent pleins aux trois quarts et plus. Jean sympathisait avec Evan qui allait souvent l'aider à jardiner chez lui, à Montrouge, au-delà de la porte d'Orléans, quand c'était le jour de congé de Jean.

« N'exagérez pas, dit Evan au vieux serveur.

— Ben quoi, ce sont pas deux whiskies ? » demanda celui-ci.

Nous y ajoutâmes de l'eau et Evan dit :

« Bois lentement la première gorgée, Hem. Si nous les ménageons, ces deux verres peuvent durer longtemps.

— Et toi, tu te ménages ? demandai-je.

— Oui. Pour de vrai, Hem. Mais parlons d'autre chose, hein ? »

Nous étions seuls à la terrasse, et le whisky nous tenait chaud à tous deux, bien que je fusse mieux vêtu qu'Evan pour la saison, car je portais une chemisette en guise de sous-vêtement, une chemise et même un chandail de marin français, en laine bleue, par-dessus.

« Je me pose des questions au sujet de Dostoïevski, dis-je. Comment un homme peut-il écrire aussi mal, aussi incroyablement mal, et te faire sentir aussi profondément ?

— Ça ne peut être une question de traduction, dit Evan. Le style de Tolstoï reste bon, même en traduction.

— Je sais. Je ne me rappelle plus combien de fois j'ai essayé de lire *Guerre et Paix* avant de me procurer la traduction de Constance Garnett.

— On dit qu'elle pourrait être améliorée, dit Evan. Je suis sûr que c'est vrai, bien que je ne connaisse pas le russe. Mais nous savons l'un et l'autre ce qu'est une traduction. N'empêche que ça donne un roman du tonnerre, le plus grand de tous, je suppose, et tu peux le lire et le relire sans t'en lasser.

— Je sais, dis-je. Mais tu ne peux pas lire et relire Dostoïevski. J'ai emporté *Crime et châtiment* avec moi à Schruns, quand nous manquions de livres, et je n'ai pas pu le relire, alors même que je n'avais rien d'autre sous la main. J'ai plutôt lu les journaux autrichiens et étudié l'allemand, jusqu'au moment où j'ai trouvé un Trollope dans la collection Tauchnitz.

— Dieu bénisse Tauchnitz », dit Evan.

Le whisky avait perdu toutes ses vertus inflammatoires, mais avec de l'eau il était simplement beaucoup trop fort.

« Dostoïevski était un merdeux, Hem, continua Evan. Il n'est à l'aise qu'avec des merdeux et des saints. Il a créé des saints merveilleux. C'est une honte de ne pas pouvoir le relire.

— Je vais tâcher de relire les *Frères.* Il y avait probablement de ma faute.

— Tu peux en relire une partie, la plus grande partie. Mais ensuite il va t'irriter, quelle que soit sa grandeur.

— Bon. Nous avons été heureux de pouvoir le lire une première fois, et peut-être qu'on améliorera la traduction.

— Ne te laisse pas tenter, Hem.

— Non. Je vais tâcher de faire ça sans m'en rendre compte. Ainsi plus j'en lirai plus il y en aura.

— Bon, je bois à ta santé avec le whisky de Jean, dit Evan.

— Il aura des ennuis, s'il continue, dis-je.

— Il en a déjà, dit Evan.

— Comment ?

— Il y a un changement de direction, dit Evan. Les nouveaux propriétaires veulent attirer une autre clientèle, des gens qui dépensent davantage, et ils vont installer un bar américain. Les garçons seront tous en vestes blanches, Hem, et on leur a déjà dit de se tenir prêts à se raser la moustache.

— Ils ne peuvent pas faire ça à André et à Jean.

— Ils ne devraient pas pouvoir le faire, mais ils le feront.

— Jean a porté la moustache toute sa vie. C'est une moustache de dragon. Il a servi dans la cavalerie.

— Il faudra qu'il la coupe. »

Je bus les dernières gouttes de mon whisky.

« Un autre whisky, monsieur ? demanda Jean. Un whisky, monsieur Shipman ? »

Sa lourde moustache tombante faisait partie de son visage maigre et cordial et le sommet de son crâne chauve brillait à travers les mèches de cheveux bien lissées par-dessus.

« Ne faites pas ça, Jean, dis-je. Ne prenez pas le risque.

— Ce n'est pas une question de risque, dit-il doucement. Il y a beaucoup de pagaille. Il y en a plusieurs qui sont partis. *Entendu*, messieurs », dit-il à voix haute.

Il rentra dans le café et revint avec la bouteille de whisky, deux grands verres, deux soucoupes à bord doré marquées dix francs, et une bouteille d'eau de Seltz.

« Non, Jean », dis-je.

Il posa les verres sur les soucoupes et les remplit de whisky presque à ras bord, puis il remporta le fond de bouteille dans le café. Evan et moi ajoutâmes un peu d'eau de Seltz dans les verres.

« Heureusement que Dostoïevski ne connaissait pas Jean, dit Evan. Il aurait bu jusqu'à ce que mort s'ensuive.

— Qu'allons-nous faire de ce whisky ?

— Le boire, dit Evan. C'est un geste de protestation. De l'action directe. »

Le lundi suivant, quand j'allai travailler à la Closerie, le matin, André me servit un *Bovril*, c'est-à-dire de l'extrait de viande de bœuf avec de l'eau. C'était un petit homme blond. À la place de sa grosse moustache, sa lèvre était aussi glabre que celle d'un ecclésiastique. Il portait une veste blanche de barman américain.

« Et Jean ?

— Il ne reviendra que demain.

— Comment est-il ?

— Il lui faut le temps de s'habituer. Il a fait toute la guerre dans un régiment de cavalerie lourde. Il a la croix de guerre et la médaille militaire.

— Je ne savais pas qu'il avait été si grièvement blessé.

— Non. Il a été blessé, naturellement, mais c'est l'autre médaille militaire qu'il a. Pour fait d'armes.

— Dites-lui que j'ai demandé de ses nouvelles.

— Bien sûr, dit André. J'espère qu'il s'y fera vite.

— Présentez-lui aussi les amitiés de Mr Shipman.

— Mr Shipman est avec lui, dit André. Ils sont en train de jardiner ensemble. »

Un agent du mal

La dernière chose que me dit Ezra, avant de quitter la rue Notre-Dame-des-Champs pour se rendre à Rapallo, fut : « Hem, je voudrais que tu gardes ce pot d'opium et n'en donnes à Dunning que s'il en a besoin. »

C'était un grand pot de cold-cream et après avoir dévissé le couvercle je vis que le contenu était sombre et gluant, et dégageait une odeur d'opium brut. Ezra l'avait acheté à un chef indien, disait-il, avenue de l'Opéra, près du boulevard des Italiens, et il avait coûté très cher. Je pensais qu'il provenait sans doute d'un vieux bar appelé « Le Trou dans le mur » et qui était un repaire de déserteurs et de trafiquants de drogue, pendant et après la guerre. Le Trou dans le mur était un bar très étroit, à peine plus large qu'un couloir, avec une façade peinte en rouge, dans la rue des Italiens. Il avait eu, dans le temps, une sortie de secours qui aboutissait aux égouts, d'où vous étiez censé pouvoir gagner les Catacombes. Dunning était Ralph Cheever Dunning, un poète qui fumait de l'opium et oubliait de manger. Quand il avait trop fumé, il ne pouvait boire que du lait, et il écrivait en *terza rima*, ce qui le rendait cher à Ezra, qui trouvait aussi de grands mérites à sa poésie. Il vivait dans la cour où se trouvait l'atelier d'Ezra, et celui-ci m'avait appelé au secours, quelques semaines avant son départ, pour sauver Dunning de l'agonie.

« Dunning est mourant, disait le message d'Ezra. Viens tout de suite. »

Dunning avait l'air d'un squelette, sur son matelas, et il aurait certainement pu mourir d'inanition, mais je finis par faire admettre à Ezra que rares sont ceux qui meurent en faisant d'aussi belles phrases et que je n'avais jamais entendu dire que quelqu'un fût mort en usant de *terza rima* et que je doutais même que Dante en eût été capable. Ezra dit que Dunning ne s'exprimait pas en *terza rima* et j'admis que j'avais peut-être cru l'entendre s'exprimer en *terza rima* parce que j'étais endormi quand Ezra m'avait envoyé chercher. Finalement, après que Dunning eut passé la nuit entre la vie et la mort, l'affaire fut mise entre les mains d'un médecin et le malade conduit à une clinique privée pour y suivre une cure de désintoxication. Ezra avait donné sa caution financière et celle de je ne sais quels amateurs de poésie pour que Dunning pût être soigné. Le seul rôle qu'on m'avait confié consistait donc à fournir de l'opium au malade en cas d'urgence. C'était une mission sacrée, imaginée par Ezra lui-même, et j'espérais seulement m'en montrer digne et savoir reconnaître à coup sûr tout cas d'urgence. L'occasion m'en fut fournie quand la concierge d'Ezra entra un dimanche matin dans la cour de la scierie et cria par la fenêtre ouverte devant laquelle j'étudiais la liste des partants pour les courses : « *M. Dunning est monté sur le toit et refuse catégoriquement de descendre.* »

Dunning était monté sur le toit de l'atelier et refusait catégoriquement de descendre ; c'était là, me semblait-il, un cas patent d'urgence, et je sortis le pot d'opium et remontai la rue avec la concierge, petite femme véhémente, surexcitée par la situation.

« Monsieur a tout ce qu'il faut ? me demanda-t-elle.

— Absolument, dis-je. Ça ne sera pas difficile.

— M. Pound pense à tout, dit-elle. Il est la bonté personnifiée.

— C'est vrai, dis-je. Je regrette son absence tous les jours.

— Espérons que M. Dunning sera raisonnable.

— J'ai ce qu'il faut », dis-je pour la rassurer.

Quand nous atteignîmes la cour où se trouvaient les ateliers, la concierge dit :

« Il est descendu.

— Il a dû deviner que j'arrivais », dis-je.

Je grimpai l'escalier extérieur qui conduisait au logis de Dunning et frappai à la porte. Il ouvrit. C'était un homme maigre et qui semblait étonnamment grand.

« Ezra m'a demandé de vous apporter ceci, dis-je, et je lui tendis le pot. Il a dit que vous sauriez ce que c'est. »

Il prit le pot et l'examina. Puis il me le jeta. Le pot m'atteignit à la poitrine ou à l'épaule et roula au bas des marches.

« Espèce de salaud, dit-il. Fils de pute.

— Ezra avait dit que vous pourriez en avoir besoin », dis-je.

En guise de réponse, il me lança une bouteille de lait.

« Vous êtes sûr que vous n'en avez pas besoin ? » demandai-je.

Il me jeta une autre bouteille. Je battis en retraite. Il m'atteignit encore dans le dos avec une dernière bouteille. Puis il ferma la porte.

Je ramassai le pot, à peine fêlé, et le remis dans ma poche.

« Il ne semblait pas apprécier le cadeau de M. Pound, dis-je à la concierge.

— Peut-être sera-t-il plus calme, maintenant, dit-elle.

— Il en a peut-être à lui, dis-je.

— Pauvre M. Dunning », dit-elle.

Les amateurs de poésie qu'Ezra avait alertés vinrent en aide à Dunning par la suite. Ma propre intervention et celle de la concierge avaient été infructueuses. J'enveloppai le pot fêlé de prétendu opium dans un papier ciré et le cachai dans une vieille botte de cheval. Quand Evan Shipman m'aida à déménager mes effets personnels, au moment où je quittai cet appartement, quelques années plus tard, la paire de bottes était bien là, mais le pot avait disparu. Je ne sais pourquoi Dunning m'avait bombardé à coups de bouteilles ; peut-être se rappelait-il mon incrédulité, le soir où Ezra l'avait cru mort une première fois ; peut-être éprouvait-il quelque antipathie innée à mon égard. Mais je me rappelai le plaisir que la phrase *« M. Dunning est monté sur le toit et refuse catégoriquement de descendre »* avait donné à Evan Shipman. Il y voyait quelque chose de symbolique. Je n'eus jamais l'explication que je cherchais. Peut-être Dunning me prit-il pour un agent du Mal ou de la police. Je savais seulement qu'Ezra avait voulu rendre service à Dunning comme il rendait service à tant de gens, et j'espérais, pour ma part, que Dunning était un poète aussi grand que le disait Ezra. Pour un poète, il m'avait fort bien visé avec une bouteille de lait. Mais Ezra, qui était un très grand poète, jouait fort bien au tennis. Evan Shipman, qui était un très bon poète et qui se souciait peu de voir ses poèmes publiés ou non, pensait qu'il ne fallait pas éclaircir le mystère.

« Il nous faut plus de mystères authentiques dans nos vies, Hem, me dit-il un jour. Ce qui manque le plus à notre époque, c'est un écrivain sans ambition et un poème inédit vraiment important. Mais, bien sûr, il faut vivre. »

Je n'ai jamais vu aucun écrit concernant Evan Shipman, ce quartier de Paris ou ses poèmes non publiés, et c'est pourquoi je pense qu'il est capital de l'inclure dans cet ouvrage.

Hivers à Schruns

Quand nous fûmes trois, au lieu d'être deux, le froid et le mauvais temps finirent par nous chasser de Paris, en hiver. Tant que nous avions été seuls, il ne se posait aucun problème, une fois passé la période d'acclimatation. Je pouvais toujours aller écrire au café, et travailler toute une matinée devant un *café crème* tandis que les garçons nettoyaient et balayaient la salle qui se réchauffait peu à peu. Ma femme pouvait aller travailler son piano dans une pièce froide avec un nombre suffisant de chandails pour lui tenir chaud pendant qu'elle jouait, et rentrer ensuite pour s'occuper de Bumby. Il eût été mauvais d'emmener un bébé dans un café, en hiver, de toute façon ; même un bébé qui ne pleurait jamais, et observait tout ce qui se passait autour de lui et ne s'ennuyait jamais. Il n'y avait pas de baby-sitters, alors, et Bumby n'était pas malheureux, enfermé dans son lit-cage, avec son grand chat affectueux, répondant au nom de F. Minet. Certains disaient qu'il était dangereux de laisser un chat avec un bébé. Les plus ignorants et les plus convaincus disaient qu'un chat sucerait le souffle du bébé et le tuerait. D'autres disaient que le chat se coucherait sur le bébé et l'étoufferait. F. Minet s'étendait à côté de Bumby dans le haut lit-cage et surveillait la porte, avec ses grands yeux jaunes, et ne laissait personne approcher quand nous étions sortis et que Marie, la *femme de ménage*, devait s'absenter. Il n'était pas besoin de baby-sitter. F. Minet était notre baby-sitter.

Pour des pauvres — et nous étions vraiment pauvres lorsque j'eus abandonné le journalisme, à notre retour du Canada, et que je ne pouvais placer nulle part aucune de mes nouvelles — il était trop dur de passer l'hiver à Paris avec un bébé. À trois mois, Mr Bumby avait traversé l'Atlantique Nord en douze jours, sur un petit paquebot de la Cunard, de New York à l'Europe, *via* Halifax. Il n'avait jamais pleuré pendant le voyage et riait joyeusement lorsque nous le barricadions dans une couchette pour qu'il ne tombe pas quand la houle était forte. Mais notre Paris était trop froid pour lui.

Nous allions donc à Schruns, dans le Vorarlberg, en Autriche. Après avoir traversé la Suisse, vous passiez la frontière autrichienne à Feldkirch. Le train franchissait le Liechtenstein et s'arrêtait à Bludenz, où il fallait prendre la correspondance, sur une petite voie qui longeait un torrent à truites, tout pierreux, à travers une vallée de fermes et de forêts jusqu'à Schruns, petite ville de marché, tout ensoleillée, avec des scieries, des magasins, des auberges et un bon hôtel ouvert toute l'année et appelé le Taube, où nous prenions pension.

Les chambres du Taube étaient vastes et confortables avec de grands poêles, de grandes fenêtres, de grands lits, et de bonnes couvertures et des couvre-pieds de plume. Les repas étaient simples et excellents, et la salle à manger et le bar tout en boiserie étaient bien chauffés et accueillants. La vallée était large et dégagée, de sorte qu'il y avait beaucoup de soleil. La pension complète nous revenait à deux dollars environ par jour pour nous trois, et comme les schillings autrichiens perdaient de la valeur à cause de l'inflation, la nourriture et le logement nous coûtaient de moins en moins cher. Ce n'était pas une inflation accompagnée de misère et de désespoir comme en Allemagne. Le cours du schilling montait et descendait, mais la tendance générale était à la baisse.

Il n'y avait pas de remonte-pente à Schruns, ni de funiculaire, seulement des chemins de bûcherons et de bergers qui conduisaient aux sommets à travers différentes vallées. Il vous fallait fixer des peaux de phoque sous vos skis pour grimper. Au débouché des vallées montagnardes, se trouvaient les grands refuges du Club alpin, destinés aux touristes d'été, mais où vous pouviez dormir et laisser quelque argent pour le bois dont vous vous étiez servi. Dans certains d'entre eux, il vous fallait débiter vous-même le bois dont vous aviez besoin, ou, si vous entrepreniez une longue randonnée en haute montagne, vous louiez les services de quelqu'un qui pût vous ravitailler et vous couper du bois, et vous choisissiez un camp de base. Les plus fameux de ces camps de base étaient les refuges de Lindauer Hütte, de Madlener Haus et de Wiesbadener Hütte.

Derrière le Taube, il y avait une sorte de piste d'entraînement, où vous pouviez skier entre les vergers et les champs, et il y avait une autre bonne pente derrière Tschagguns, de l'autre côté de la vallée, où se trouvait une belle auberge avec une splendide collection de cornes de chamois accrochées aux murs de la buvette. Une fois que l'on avait dépassé le village de bûcherons de Tschagguns, à l'extrémité la plus éloignée de la vallée, on ne trouvait plus que de bons champs de neige propices au ski, jusqu'au-delà de la ligne des crêtes, s'il vous prenait l'envie de la traverser et de descendre par la Silvretta, dans la région de Klosters.

Schruns était un endroit très sain pour Bumby, dont s'occupait une belle fille à la chevelure sombre, qui le promenait au soleil dans sa luge, et Hadley et moi étudiions tout ce pays si nouveau pour nous, et tous ces nouveaux villages, et toute la population de la ville était très hospitalière. Herr Walther Lent, qui était l'un des pionniers du ski en haute montagne et avait été associé, pendant un certain temps, avec Hannes Schneider, le grand skieur de l'Arlberg, pour fabriquer des cires adaptées à toutes sortes de neiges, venait d'ouvrir une école de ski en montagne, où nous étions inscrits tous les deux. La méthode de Walther Lent consistait à sortir ses élèves des pistes d'entraînement le plus vite possible, pour les emmener faire des courses en haute montagne. Le ski n'était pas ce qu'il est devenu. Les fractures de la colonne vertébrale n'étaient pas monnaie courante et personne ne pouvait se permettre de se casser une jambe. Il n'y avait pas de patrouilles de secouristes et si vous descendiez une pente, vous deviez la remonter. Cela vous musclait suffisamment les jambes pour que vous puissiez descendre sans danger.

Walther Lent pensait que le plaisir de skier consistait à pénétrer dans les régions les plus élevées de la montagne, où l'on ne rencontrait personne, et où la neige était vierge, pour aller d'un refuge à un autre par-dessus les crêtes et les glaciers des Alpes. Il ne fallait pas utiliser de fixations perfectionnées, susceptibles de causer la fracture d'une jambe en cas de chute : le ski devait pouvoir se détacher avant de vous casser la jambe. Ce que Walther aimait par-dessus tout, c'était skier, sans être encordé, sur des glaciers. Mais pour cela nous devions attendre le printemps pour que les crevasses fussent suffisamment recouvertes.

Hadley et moi nous adorions skier depuis que

nous avions fait nos débuts ensemble en Suisse, et plus tard, à Cortina d'Ampezzo, dans les Dolomites, alors que nous attendions la naissance de Bumby et que le médecin de Milan avait autorisé ma femme à skier si je lui promettais qu'elle ne tomberait pas. Il nous avait fallu, dès lors, choisir soigneusement les champs de neige et les pistes, et ne skier qu'en toute sécurité, mais elle avait de belles jambes merveilleusement fortes, et guidait ses skis à la perfection de sorte qu'elle n'était pas tombée. Nous connaissions tous, alors, toutes les sortes de neiges et chacun savait comment effectuer une descente dans la neige la plus poudreuse.

Nous adorions le Vorarlberg et nous adorions Schruns. Nous y arrivions au moment de la fête de Thanksgiving, vers la fin du mois de novembre, et nous y restions jusqu'à Pâques, ou presque. Nous pouvions skier tout le temps, bien que Schruns ne fût pas situé à une altitude suffisante pour devenir une station de sports d'hiver sauf quand il neigeait beaucoup. Mais il était amusant de se livrer à des ascensions et personne ne pensait à s'en plaindre en ce temps-là. Il vous fallait fixer à votre progression un certain rythme, bien en deçà de vos possibilités, et vous avanciez sans effort, et les battements de votre cœur étaient normaux, et vous étiez fier de sentir le poids de votre sac. Une partie de la pente qui menait au Madlener Haus était raide et très dure. Mais dès la deuxième fois, l'ascension vous semblait plus aisée et, à la fin, vous vous en tiriez aisément, même avec un sac deux fois plus lourd.

Nous avions toujours faim et chaque repas était un événement. Nous buvions de la bière blonde ou brune, et de nouveaux vins et du vin de l'année, parfois. Le meilleur était le vin blanc. Nous buvions aussi du kirsch de la vallée, et du *schnaps* fabriqué avec la gentiane de la montagne. Parfois, au dîner, il y avait du civet de lièvre avec une bonne sauce au vin rouge, et parfois de la venaison avec une sauce aux marrons, et nous buvions du vin rouge dans ces cas-là, bien qu'il fût plus cher que le vin blanc et coûtât vingt cents le litre, pour un cru de qualité. Le vin rouge ordinaire était beaucoup plus économique et nous en emportions par tonnelets quand nous montions au Madlener Haus.

Nous avions tout un lot de livres que Sylvia Beach nous prêtait pour la durée de l'hiver et nous pouvions jouer aux boules avec les gens de la ville, dans l'impasse qui aboutissait au jardin d'été de l'hôtel. Une ou deux fois par semaine, on jouait au poker dans la salle à manger de l'hôtel, derrière les volets clos et la porte verrouillée. Les jeux de hasard étaient interdits en Autriche, à cette époque ; mes partenaires étaient Herr Nels, l'hôtelier, Herr Lent, de l'école de ski, un banquier de la ville, le procureur du tribunal et le capitaine de gendarmerie. Tout le monde était très digne et jouait fort bien sauf Herr Lent qui prenait trop de risques parce que l'école de ski ne rapportait pas suffisamment. Le capitaine de gendarmerie pointait un doigt vers son oreille quand il entendait les deux gendarmes s'arrêter devant la porte au cours d'une ronde, et nous restions silencieux jusqu'à ce qu'ils se fussent éloignés.

Dans le froid du matin, aussitôt qu'il faisait jour, la femme de chambre entrait, fermait les fenêtres, et allumait le feu dans le grand poêle de porcelaine. La chambre se réchauffait, et l'on nous servait le petit déjeuner : du pain frais ou des rôties, de délicieuses confitures, et de grands bols de café, avec des œufs frais et du bon jambon si nous voulions. Il y avait un chien, du nom de Schnautz, qui dormait au pied de notre lit ; il adorait nous suivre quand nous allions faire du ski et se tenir sur mon dos ou mes épaules dans les descentes. C'était aussi un grand ami de Mr Bumby et quand celui-ci allait se promener avec sa gouvernante, le chien marchait à côté de la petite luge.

Schruns était un bon endroit pour travailler. Je le sais pour y avoir fait le travail de réécriture le plus difficile que j'aie jamais réalisé, au cours de l'hiver 1925-1926, quand il me fallut reprendre et transformer en roman le premier brouillon du *Soleil se lève aussi* que j'avais écrit d'un seul jet, en six semaines. Je ne peux pas me rappeler quels contes j'y ai écrits ; mais il y en avait plusieurs et ils étaient bons.

Je me rappelle la neige sur la route du village, toute crissante dans la nuit froide, quand nous rentrions avec nos skis et nos bâtons sur les épaules, nous guidant sur les lumières, avant de voir les maisons, et chacun, sur la route, nous disait « *Grüss Gott* ». Il y avait toujours des paysans à la *Weinstube*, avec leurs bottes cloutées, et leurs vêtements de montagnards, et l'air était enfumé et le plancher rayé par les clous. Beaucoup, parmi les jeunes gens, avaient servi dans les régiments alpins autrichiens et l'un deux, nommé Hans, qui travaillait à la scierie, était un chasseur fameux, et nous étions bons amis parce que nous nous étions trouvés dans les mêmes montagnes en Italie. Nous buvions ensemble et chantions en chœur des chansons de la montagne.

Je me rappelle les sentiers qui grimpaient entre les vergers et les champs des fermes accrochées à mi-pente, au-dessus du village, et les chaudes demeures des fermiers, avec leurs grands poêles et leurs gros tas de bois dans la neige. Les femmes travaillaient à la cuisine, cardant et filant la laine en fils gris et noirs. Les rouets étaient à pédales et le fil avait gardé la couleur de la laine : noir pour les moutons noirs. C'était de la laine naturelle dont le suif n'avait pas été éliminé, et quand Hadley s'en servait, les bonnets et les chandails et les longues écharpes qu'elle tricotait ne retenaient pas l'humidité dans la neige.

Un certain Noël, le maître d'école nous offrit

la représentation d'une pièce de Hans Sachs. C'était une bonne pièce et j'écrivis pour un journal de province un compte rendu que traduisit l'hôtelier. Une autre année, un ancien officier de marine allemand, au crâne rasé et aux nombreuses cicatrices, vint nous donner une conférence sur la bataille du Jutland. Grâce à une lanterne magique nous pûmes voir les deux flottes faire mouvement et l'officier se servit d'une queue de billard pour désigner certains détails sur l'écran, quand il fit ressortir la lâcheté de Jellicoe, et, par moments, il était si furieux que sa voix se brisait. Le maître d'école craignait qu'il ne transperçât la toile avec la queue de billard. À partir de là, l'ancien officier de marine fut incapable de recouvrer son sang-froid et tout le monde se sentait mal à l'aise dans la *Weinstube.* Le procureur et le banquier furent les seuls à trinquer avec lui, à une table séparée. Herr Lent, qui était rhénan, n'avait pas voulu assister à la conférence. Il y avait là un couple de Viennois qui étaient venus skier, mais ne tenaient pas à se hasarder en haute montagne, de sorte qu'ils allaient partir pour Zurs où, m'a-t-on dit, ils furent tués par une avalanche. L'homme dit que le conférencier était l'un de ces cochons qui avaient mené l'Allemagne à sa perte une première fois et recommenceraient dans vingt ans. La femme qui l'accompagnait lui dit, en français, de se taire, et elle ajouta : c'est un petit village et on ne sait jamais.

Ce fut l'année où tant de gens furent tués par des avalanches. Le premier accident vraiment meurtrier eut lieu à Lech, dans l'Arlberg, c'est-à-dire de l'autre côté de la montagne, par rapport à notre vallée. Quelques Allemands avaient projeté de venir skier avec Herr Lent pendant les vacances de Noël. La neige avait été tardive, cette année-là, de sorte que les hauteurs et le flanc des montagnes étaient encore imprégnés par la chaleur du soleil quand vint la première chute de neige. La neige était profonde et poudreuse et ne tenait pas du tout au terrain. Les conditions ne pouvaient être plus dangereuses pour des skieurs et Herr Lent avait télégraphié aux Berlinois de ne pas venir. Mais c'étaient leurs vacances et ils n'y connaissaient rien et ne craignaient pas les avalanches. Ils arrivèrent à Lech et Herr Lent refusa de les emmener. L'un des hommes le traita de lâche et ils dirent qu'ils allaient skier tout seuls. Finalement, il les emmena sur la piste la plus sûre qu'il put trouver, l'essaya lui-même d'abord et ils le suivirent et tout le pan de montagne s'effondra d'un seul coup, les emportant comme la vague d'un raz de marée. On dégagea treize victimes, et neuf avaient succombé. L'école de ski n'avait guère connu la prospérité auparavant, mais dès lors nous fûmes pratiquement ses seuls élèves. Notre attention fut alors requise par l'étude des avalanches, des différents types d'avalanches, des moyens de les éviter, et des moyens de s'en sortir si vous étiez pris dans l'une d'elles. La plus grande partie de ce que j'écrivis cette année-là fut rédigé au moment des avalanches.

Mon souvenir le plus terrible de l'hiver des avalanches fut celui d'un homme dont on put dégager le corps. Il s'était accroupi pendant sa chute et avait protégé son visage avec les bras comme on nous avait appris à le faire pour se ménager un espace où pouvoir respirer sous la neige. C'était une grosse avalanche et il fallut longtemps pour dégager toutes les victimes et cet homme fut le dernier qu'on ramena au jour. Il n'était pas mort depuis longtemps et son cou était si usé que les os et les tendons étaient à vif. Il avait tourné la tête, là-dessous, et le poids de la neige avait fait le reste. Il y avait sûrement de la vieille neige tassée, mêlée à la neige fraîche et légère de l'avalanche. Nous ne pûmes savoir s'il l'avait fait exprès ou s'il avait perdu la tête. De toute façon, le curé refusa de l'enterrer au cimetière, car il n'était pas prouvé qu'il fût catholique.

Quand nous vivions à Schruns, nous entreprenions traditionnellement une longue randonnée vers le haut de la vallée jusqu'à l'auberge où nous passions la nuit avant de grimper à la Madlener Haus. C'était une très belle auberge ancienne, et les boiseries de la pièce où nous mangions et buvions étaient polies comme de la soie par les ans. Il en était de même pour les chaises et la table. Nous dormions serrés l'un contre l'autre dans le grand lit, sous la courtepointe de plume, devant la fenêtre ouverte et les étoiles proches et brillantes. Le matin, après le petit déjeuner, chacun prenait son barda avant de se mettre en route dans le noir, et nous commencions à grimper sous les étoiles proches et brillantes, avec nos skis sur les épaules. Les porteurs avaient des skis courts et soulevaient des poids énormes. Nous rivalisions à qui porterait les charges les plus lourdes, mais personne ne pouvait rivaliser avec les porteurs, des paysans courtauds et renfrognés qui ne parlaient que le patois de Montafon et grimpaient avec une régularité de bêtes de somme ; une fois arrivés au sommet, où le chalet du Club alpin se dressait sur une corniche, près du glacier couvert de neige, ils jetaient leur fardeau au pied du mur de pierre, demandaient un salaire supérieur à celui dont nous étions convenus, et quand on finissait par couper la poire en deux, ils redescendaient aussitôt comme des flèches, sur leurs skis courts, comme des gnomes.

Parmi nos amis, se trouvait une jeune Allemande qui skiait avec nous. C'était une skieuse émérite, petite et merveilleusement faite, qui pouvait porter un sac aussi lourd que le mien et plus longtemps que moi.

« Ces porteurs nous regardent toujours comme s'ils s'attendaient à devoir ramener nos cadavres, disait-elle. Ils fixent un prix pour la course et je n'en ai jamais connu qui ne demandaient pas un supplément à l'arrivée. »

Les paysans du bout de la vallée haute étaient fort différents de ceux des vallées basse et moyenne, et ceux du Gauertal étaient aussi amicaux que les premiers étaient hostiles.

L'hiver, à Schruns, je portais la barbe pour me protéger du soleil qui me brûlait si cruellement le visage, sur les hautes neiges, et je ne me souciais aucunement de me faire couper les cheveux. Un soir, tard, alors que je descendais à skis la piste des bûcherons, Herr Lent me dit que des paysans que j'avais croisés sur les pistes, au-dessus de Schruns, m'avaient appelé « le Christ noir ». Il me dit que certains d'entre eux, qui fréquentaient la *Weinstube*, m'appelaient « le Christ noir au kirsch ». Mais pour les paysans de la région supérieure de Montafon, tous ceux qui, comme nous, louaient parmi eux des porteurs sur le chemin de la Madlener Haus étaient des démons étrangers attirés par les sommets dont tout le monde, au contraire, aurait dû s'écarter. Pis encore : nous nous mettions en route avant l'aube, et peu importait que ce fût pour pouvoir franchir les sites propices aux avalanches avant que le soleil eût réchauffé la neige. Cela prouvait seulement que nous étions rusés comme tous les démons étrangers.

Je me rappelle l'odeur des pins et les nuits passées sur les matelas de feuilles de hêtre, dans les huttes de bûcherons, et les randonnées à skis dans les forêts sur les traces des lièvres et des renards. En haute montagne, au-dessus de la zone des forêts, je me rappelle avoir suivi la trace d'un renard jusqu'à ce qu'il fût en vue, et avoir observé l'animal, debout, la patte droite levée, avançant ensuite pour s'arrêter encore et foncer soudain tandis qu'en un remue-ménage de plumes une perdrix blanche jaillissait de la neige, prenait de la hauteur et disparaissait au-delà du sommet.

Je me rappelle toutes les sortes de neiges, différentes selon le vent, et leurs différentes embûches, sous les skis. Et puis, il y avait les blizzards quand vous étiez dans quelque chalet alpestre, à grande altitude, et le monde étrange qu'ils faisaient surgir, où il fallait se frayer un chemin avec autant de précaution qu'en pays inconnu. Inconnu, certes, parce que tout neuf. Enfin, aux approches du printemps, il y avait la grande course sur le glacier, en douceur et droit devant soi, toujours tout droit aussi longtemps que les jambes tenaient bon, chevilles bloquées, et nous glissions, penchés très bas, penchés sur la vitesse, en une chute sans fin, sans fin, dans un silencieux sifflement de poussière crissante. C'était plus agréable que de voler ou que n'importe quoi et nous y avions préparé nos corps, nous nous étions préparés à en jouir au cours de nos longues ascensions, sous le poids des sacs. Il n'y avait pas de ticket à prendre pour atteindre les sommets et l'on ne pouvait pas s'y faire hisser pour de l'argent, mais la course de printemps était le prix des efforts de tout l'hiver et seuls les efforts de tout l'hiver nous en avaient rendus capables.

Au cours de notre dernier hiver en montagne, des nouveaux venus pénétrèrent profondément dans notre existence, et rien ne fut plus jamais comme avant. L'hiver des avalanches fut comme l'un des hivers heureux et innocents de l'enfance, comparé à celui qui suivit. Hadley et moi avions désormais trop confiance l'un dans l'autre et cette présomptueuse confiance nous rendait insouciants. Dans l'engrenage qui s'était mis en route, je n'ai jamais tenté de démêler la part des responsabilités de chacun, en dehors de la mienne, laquelle m'est apparue de plus en plus clairement tout au long de ma vie. Le saccage de trois cœurs pour détruire un bonheur et en construire un autre, l'amour, le travail gratifiant et tout ce qui s'est ensuivi ne font pas partie de ce livre. J'ai écrit là-dessus, mais j'ai tout écarté. C'est une histoire complexe, instructive, et précieuse. La manière dont elle s'est terminée n'a rien à voir non plus avec le présent volume. La responsabilité, s'il y en avait une, m'incombait entièrement, c'était à moi de l'assumer et de l'appréhender. La seule des trois à qui l'on ne pouvait absolument rien reprocher, Hadley, s'en est finalement bien sortie et a épousé un homme bien meilleur que celui que j'ai jamais été ou aurais jamais rêvé d'être. Elle est heureuse et mérite de l'être ; c'est là le bilan le plus satisfaisant et le plus durable de cette année-là.

Scott Fitzgerald

Son talent était aussi naturel que les dessins poudrés sur les ailes d'un papillon. Au début, il en était aussi inconscient que le papillon et, quand tout fut emporté ou saccagé, il ne s'en aperçut même pas. Plus tard, il prit conscience de ses ailes endommagées et de leurs dessins, et il apprit à réfléchir. Il avait repris son vol, et j'ai eu la chance de le rencontrer juste après qu'il eut connu une période faste de son écriture, sinon de sa vie.

Il arriva une chose bien étrange la première fois que je rencontrai Scott Fitzgerald. Il arrivait beaucoup de choses étranges avec Scott, mais je n'ai jamais pu oublier celle-là. Il était entré au Dingo Bar, rue Delambre, où j'étais assis en compagnie de quelques individus totalement dépourvus d'intérêt ; il s'était présenté lui-même et avait présenté le grand gars sympathique qui se trouvait avec lui comme étant Dunc Chaplin, le fameux joueur de base-ball. Je n'avais jamais suivi les matches de l'équipe de Princeton et n'avais pas entendu parler de Dunc Chaplin, mais il était extraordinairement gentil, insouciant, décontracté et amical et je le préférai de beaucoup à Scott.

Scott était un homme qui ressemblait alors à un petit garçon avec un visage mi-beau mi-joli. Il avait des cheveux très blonds et bouclés, un grand front, un regard vif et cordial, et une bouche délicate aux lèvres allongées, typiquement irlandaise, qui, dans un visage de fille, aurait été la bouche d'une beauté. Son menton était bien modelé, il avait l'oreille agréablement tournée et un nez élégant, pur et presque beau. Tout cela n'aurait pas suffi à composer un joli visage mais il fallait y ajouter le teint, les cheveux blonds et la bouche, cette bouche si troublante pour qui ne connaissait pas Scott et plus troublante encore pour qui le connaissait.

J'étais très curieux de l'observer ; j'avais travaillé très dur toute la journée et il me semblait merveilleux de me retrouver avec Scott Fitzgerald et le grand Dunc Chaplin dont je n'avais jamais entendu parler mais qui était maintenant mon ami. Scott ne cessait de parler et, comme j'étais embarrassé par ce qu'il disait — il ne tarissait pas d'éloges sur ce que j'écrivais —, je me contentais de l'examiner de très près et de regarder au lieu d'écouter : nous professions tous, en ce temps-là, que les compliments à bout portant peuvent fort bien abattre leur homme.

Scott avait commandé du champagne et lui et Dunc Chaplin et moi avions trinqué, je crois, avec l'un des individus les moins intéressants qui se trouvaient là. Je ne pense pas que Dunc et moi ayons suivi de très près le discours de Scott, car il s'agissait bien d'un discours, et je continuai à observer Scott. Il était de faible corpulence et ne paraissait pas particulièrement en forme ; son visage était légèrement bouffi ; son costume de bonne coupe, de chez Brooks Brothers, lui allait bien et il portait une chemise blanche avec un col boutonné et la cravate d'officier de la Garde. Je pensais que je devrais peut-être lui toucher un mot au sujet de cette cravate car il y avait des Anglais à Paris et l'un d'eux pourrait bien entrer au Dingo — en fait, il s'en trouvait déjà deux dans le bar — mais je me dis que ce n'était pas mon affaire et je continuai à l'observer pendant un moment. Il fut avéré, plus tard, qu'il avait acheté la cravate à Rome.

J'avais beau le contempler encore, je n'apprenais plus grand-chose sur lui désormais, sauf qu'il avait des mains bien faites, pas trop petites, et qui semblaient adroites, et quand il s'assit sur l'un des tabourets du bar je vis qu'il avait des jambes très courtes. Avec des jambes normales il aurait peut-être été plus grand de cinq centimètres. Nous avions fini la première bouteille de champagne et entamé la seconde, et le discours tirait à sa fin.

Dunc et moi commencions à nous sentir mieux

qu'avant le champagne, et il était agréable de voir approcher la fin du discours. Jusque-là, j'avais pensé que ma femme et moi avions soigneusement tenu secret mon talent d'écrivain, sauf aux yeux des gens que nous connaissions assez bien pour leur en parler. Mais j'étais heureux de voir que Scott était parvenu à des conclusions aussi satisfaisantes que les miennes, quant à ce talent éventuel. Et j'étais plus heureux encore de voir son discours se tarir. Mais après le discours vint le débat. Si j'avais pu observer Scott sans prêter attention à ce qu'il disait, il me fallait maintenant répondre à ses questions. Lui-même, comme je le découvris plus tard, croyait qu'un romancier pouvait trouver une réponse à toutes les questions qui l'intéressaient en les posant directement à ses amis et connaissances. Il m'interrogea donc sans fard :

« Ernest, dit-il. Ça ne vous fait rien que je vous appelle Ernest, n'est-ce pas ?

— Demandez à Dunc, dis-je.

— Ne soyez pas stupide. C'est très sérieux. Dites-moi, est-ce que votre femme et vous avez couché ensemble avant d'être mariés ?

— Je ne sais pas.

— Comment, vous ne savez pas ? Qu'est-ce que vous voulez dire ?

— Je ne m'en souviens pas.

— Mais comment pourriez-vous avoir oublié une chose aussi importante ?

— Je ne sais pas, dis-je. Bizarre, n'est-ce pas ?

— C'est pis que bizarre, dit Scott. Il faut que vous soyez capable de vous en souvenir.

— Je regrette. C'est désolant, n'est-ce pas ?

— Ne vous conduisez pas comme un Angliche, dit-il. Tâchez d'être sérieux et faites un effort de mémoire.

— Que non ! dis-je. C'est sans espoir.

— Vous pourriez vraiment faire un effort. »

Je pensais que le discours nous avait menés bien loin. Je me demandais s'il tenait un discours semblable à tout le monde, mais je pensai qu'il n'en était rien car je l'avais vu transpirer pendant qu'il parlait. La sueur avait perlé au-dessus de sa longue lèvre supérieure, d'une perfection tout irlandaise, et c'est à ce moment que j'avais cessé de le dévisager et fait quelques observations sur la longueur de ses jambes, haut croisées, alors qu'il était assis sur le tabouret du bar. Cette fois, je le dévisageai de nouveau et c'est alors que se produisit la chose étrange dont j'ai déjà parlé.

Il était donc assis au bar, sa coupe de champagne à la main, quand sa peau parut se tendre sur son visage au point d'en effacer toute boursouflure, et continua à se tendre jusqu'à lui faire une tête de mort. Les yeux s'enfoncèrent dans les orbites et le regard s'éteignit et les lèvres s'étirèrent et toute couleur disparut de son visage soudain cireux. Ce n'était pas une hallucination. Son visage s'était vraiment transformé en une tête de mort ou un masque mortuaire sous mes yeux.

« Scott, demandai-je. Est-ce que ça va bien ? »

Il ne répondit pas et son visage parut plus tendu que jamais.

« Nous devrions l'emmener tout de suite dans un dispensaire, dis-je à Dunc Chaplin.

— Non, il va bien.

— On dirait qu'il est en train de passer.

— Non, ça le prend de temps en temps. »

Nous l'expédiâmes dans un taxi et j'étais très ennuyé, mais Dunc affirma qu'il était très bien et qu'il ne fallait pas se faire de souci à son sujet.

« Il sera probablement tout à fait rétabli avant d'arriver chez lui », dit-il.

Il avait sans doute raison ; quand je rencontrai Scott quelques jours plus tard à La Closerie des Lilas, je lui dis que j'étais désolé que le truc l'ait pris comme cela et que probablement nous avions bu trop vite, dans le feu de la conversation.

« Désolé de quoi ? Quel truc m'a pris comme cela ? De quoi parlez-vous, Ernest ?

— Je parle de l'autre soir, au Dingo.

— Il ne m'est rien arrivé de mal au Dingo. J'en avais simplement assez de ces sacrés Anglais qui étaient avec vous et je suis rentré chez moi.

— Il n'y avait aucun Anglais avec nous. Seulement le barman.

— Pas de mystères avec moi. Vous savez bien de qui je parle.

— Oh ! » dis-je. Il avait dû retourner au Dingo plus tard ce soir-là, ou il avait dû y aller un autre jour. Non, je m'en souvenais maintenant, il y avait bien deux Anglais dans le bar. C'était vrai. Je savais de qui il s'agissait. Ils étaient restés là toute la nuit.

« Oui, dis-je. En effet.

— Cette fille avec son titre de noblesse à la noix, qui s'exprimait de façon si grossière, et cet idiot d'ivrogne avec elle. Ils ont dit qu'ils étaient de vos amis.

— Ce sont des amis. Et elle est vraiment très grossière parfois !

— Vous voyez, c'est pas la peine de faire des mystères simplement parce qu'on a bu quelques verres de vin. Pourquoi vouliez-vous faire des mystères ? Ce n'est pas le genre de choses auxquelles je m'attendais de votre part.

— Je ne sais pas. » Je voulais laisser tomber. Puis une idée me vint à l'esprit. « Est-ce qu'ils n'ont pas dit quelque grossièreté à propos de votre cravate ? demandai-je.

— Quelle grossièreté auraient-ils pu dire à propos de ma cravate ? Je portais une simple cravate noire, en tricot, avec une chemisette blanche. »

J'abandonnai alors et il me demanda pourquoi j'aimais ce café, et je lui parlai du bon vieux temps et il s'efforça de l'aimer à son tour et nous nous assîmes, moi avec plaisir, et lui tâchant d'éprouver du plaisir, et il me posa des questions et me parla des écrivains et des éditeurs et des agents littéraires et des critiques et de George Horace

Lorimer et des potins et de la situation économique que doit affronter un auteur à succès, et il était cynique et amusant et très sympathique et affectueux, et plein de charme, même pour un homme qui a l'habitude d'être sur ses gardes dès qu'on commence à lui montrer de l'affection. Il parlait, sans aucun respect mais sans amertume, de ses propres écrits et je compris que son prochain livre serait très bon s'il pouvait parler sans amertume des faiblesses de ses livres précédents. Il voulait me faire lire son nouveau livre, *Gatsby le Magnifique*, aussitôt qu'il aurait récupéré l'unique exemplaire qui lui restait et qu'il avait prêté à quelqu'un. À l'entendre parler de cette œuvre, il était impossible d'imaginer à quel point elle était réussie, sauf qu'il manifestait envers elle la pudeur que tous les auteurs peu imbus de leur personne ressentent quand ils ont écrit une très belle œuvre, et j'espérais qu'il récupérerait le livre très vite, afin de me le donner à lire. Scott me dit qu'il avait appris par Maxwell Perkins que le livre ne se vendait pas bien, mais qu'il y avait eu quelques bonnes critiques. Je ne me rappelle plus si ce fut ce jour-là, ou bien plus tard qu'il me montra une critique de Gilbert Seldes qui n'aurait pu être meilleure. Elle n'aurait pu être meilleure que si Gilbert Seldes avait été un meilleur critique. Scott était étonné et désolé de voir que le livre ne se vendait pas bien mais, comme je l'ai dit, il ne se montrait pas du tout amer et il était à la fois satisfait et modeste quant à la valeur de son livre.

Ce jour-là, comme nous étions assis à la terrasse de la Closerie et regardions la nuit tomber et les gens passer sur le trottoir et la lumière grise du soir changer, les deux whisky-sodas que nous bûmes n'exercèrent pas d'effets chimiques sur Scott. Je les guettais soigneusement pourtant, mais ils ne se produisirent pas, et Scott ne me posa pas de questions éhontées, ne fit rien d'embarrassant, ne prononça pas de discours et se conduisit comme un être normal, intelligent et charmant.

Il me raconta que lui-même et Zelda, sa femme, avaient été contraints d'abandonner leur petite Renault à Lyon, à cause du mauvais temps, et il me demanda si j'accepterais de l'accompagner à Lyon, en train, pour y reprendre la voiture et la ramener à Paris. Les Fitzgerald avaient loué un appartement meublé au 14 rue de Tilsitt, non loin de l'Étoile. Le printemps tirait alors à sa fin et je pensais que la campagne était dans toute sa splendeur et que nous pourrions faire un excellent voyage. Scott semblait si gentil et si raisonnable et je l'avais observé tandis qu'il buvait deux bons et solides whiskies sans en être affecté et son charme et son apparent bon sens firent que les événements nocturnes du Dingo ne me semblaient plus qu'un mauvais rêve. Donc, je répondis que cela me ferait plaisir d'aller à Lyon avec lui et demandai quand il voulait partir.

Nous convînmes de nous revoir le lendemain et nous décidâmes alors de prendre l'express du matin pour Lyon. Ce train partait à une heure commode et il était très rapide ; il ne s'arrêtait qu'une fois, autant que je m'en souvienne, à Dijon. Nous projetions d'aller à Lyon, de faire vérifier le bon état de la voiture, de nous offrir un excellent dîner et de repartir pour Paris très tôt, le lendemain matin.

L'idée de ce voyage m'enthousiasmait. Je serais en compagnie d'un écrivain plus âgé et déjà consacré et, dans la voiture, nous aurions le temps de parler et j'apprendrais certainement beaucoup de choses utiles à savoir. J'ai peine à imaginer aujourd'hui que je considérais alors Scott comme un écrivain âgé, mais dans ce temps-là, et comme je n'avais pas encore lu *Gatsby le Magnifique*, je le croyais d'une autre génération. Je pensais qu'il écrivait des histoires pour des magazines tels que le *Saturday Evening Post* et qu'il avait eu un certain succès trois ans auparavant, mais je ne le tenais pas pour un écrivain sérieux. Il m'avait raconté à La Closerie des Lilas comment il écrivait des nouvelles qu'il croyait bonnes, et qui l'étaient effectivement, pour le *Post*, et comment ensuite il les modifiait avant de les soumettre à des magazines, sachant exactement par quels trucs transformer ses nouvelles en textes publiables dans tel ou tel périodique. J'avais été scandalisé et l'avais traité de putain. Il m'avait répondu qu'il était bien obligé de faire la putain, car il lui fallait soutirer de l'argent aux magazines pour avoir les moyens d'écrire de bons livres. Je lui avais répondu qu'à mon avis quiconque n'écrivait pas toujours de son mieux finissait par gâcher son talent. Mais comme il écrivait tout d'abord le bon texte de ses nouvelles, avait-il répondu, le fait de les abîmer ou d'y changer quelque chose après coup ne pouvait nuire à son talent. Je n'étais pas de cet avis et aurais bien voulu en discuter avec lui, mais il m'eût fallu avoir écrit un roman pour étayer ma thèse et lui en prouver le bien-fondé et le convaincre. Or je n'avais pas encore écrit de roman. Depuis que j'avais commencé à démanteler mon style antérieur et à fuir toute facilité et à essayer de faire agir mes personnages au lieu de les décrire, écrire m'était devenu merveilleux mais très difficile et je ne voyais pas comment je pourrais jamais écrire un texte aussi long qu'un roman. Il me fallait parfois toute une matinée pour écrire un seul paragraphe.

Ma femme, Hadley, était heureuse de me voir entreprendre ce petit voyage bien qu'elle ne prît pas au sérieux les œuvres de Scott qu'elle avait lues. Henry James était pour elle le type du bon écrivain, mais elle pensait qu'il serait bon pour moi de faire ce voyage et de me distraire de mon travail ; cependant nous aurions préféré l'un et l'autre avoir les moyens de nous payer une voiture et de faire le voyage pour notre compte. Mais, pour lors, il n'était même pas question d'y penser. J'avais reçu une avance de deux cents dollars de Boni and Liveright pour un premier recueil de nouvelles qui devait paraître aux États-Unis en automne et je plaçais des contes dans le *Frankfurter Zeitung, Der Querschnitt* de Berlin, *This Quarter* et *The Transatlantic Review* à Paris, et nous vivions à force d'économies, ne dépensant que le strict nécessaire, afin d'épargner de quoi aller à la *feria* de Pampelune en juillet et à Madrid et ensuite à la *feria* de Valence.

Le matin du départ, j'arrivai à la gare de Lyon longtemps à l'avance, et attendis Scott en deçà du portillon : c'était lui qui avait les billets. Le moment du départ approchait et Scott n'était pas encore là. Je pris un ticket de quai et déambulai le long du train à la recherche de mon compagnon de route. Je ne le vis pas et, quand le long train fut sur le point de démarrer, j'y montai et parcourus les couloirs. Mon seul espoir était que Scott se trouverait à bord. Le train était long et Scott ne s'y trouvait pas. J'expliquai la situation au contrôleur, payai le prix d'un billet de seconde classe — il n'y avait pas de troisième classe — et demandai au contrôleur quel était le meilleur hôtel de Lyon. Il n'y avait pas d'autre solution que de télégraphier à Scott, de Dijon, pour lui donner l'adresse de l'hôtel où je l'attendrais à Lyon. Il ne recevrait pas le message avant son départ de Paris, mais je supposais que sa femme le lui retélégraphierait. Je n'avais encore jamais entendu dire qu'un adulte eût raté un train ; mais au cours de ce voyage je devais apprendre bien des choses.

En ce temps-là, j'avais un assez mauvais caractère, très emporté, mais au moment où le train atteignit Montereau, je m'étais calmé et la colère ne m'empêchait plus de regarder le paysage et d'en profiter, et à midi je fis un bon déjeuner au wagon-restaurant et je bus une bouteille de saint-émilion et pensai que j'avais été un sacré idiot d'accepter de voyager aux frais d'autrui, alors que cette invitation me coûtait maintenant l'argent dont nous aurions besoin pour aller en Espagne. Mais c'était une bonne leçon pour moi. Je n'avais encore jamais accepté une invitation de ce genre et voyageais toujours à frais partagés et dans ce cas j'avais même insisté pour que les frais d'hôtel et de repas fussent mis en commun. Mais maintenant je ne savais même plus si je reverrais Fitzgerald. Tant que j'avais été furieux, je l'avais dégradé de Scott en Fitzgerald. Plus tard, je fus heureux d'avoir épuisé toute ma colère dès le départ. En effet, ce ne devait pas être un voyage à faire, pour un homme coléreux.

À Lyon, j'appris que Scott avait bien quitté Paris mais n'avait laissé aucune indication quant à sa résidence lyonnaise. Je confirmai mon adresse à Lyon et la bonne me dit qu'elle la lui communiquerait s'il téléphonait. Madame ne se sentait pas bien et dormait encore. Je téléphonai à tous les hôtels et y laissai des messages, mais ne réussis pas à dénicher Scott. Puis je sortis prendre un apéritif dans un café et lire les journaux. Au café je rencontrai un homme, mangeur de feu de son état, qui pliait aussi en deux des pièces de monnaie en les tenant entre le pouce et l'index dans ses mâchoires édentées. Ses gencives étaient meurtries mais apparemment fermes ainsi qu'il me le fit remarquer et il me dit que ce n'était pas un mauvais métier. Je l'invitai à prendre un verre et il en fut enchanté. Il avait un beau visage sombre qui brillait et scintillait quand il mangeait du feu. Il dit que, dans une ville comme Lyon, cela ne rapportait guère de manger du feu ou de faire des tours de force avec les doigts et les mâchoires. De faux mangeurs de feu ruinaient le *métier* et continueraient à le ruiner partout où on les laisserait opérer. Lui-même avait mangé du feu toute la soirée sans gagner de quoi manger autre chose cette nuit-là. Je le conviai à un nouveau verre pour faire passer le goût de l'essence qui subsistait dans sa bouche après son repas de feu et lui proposai de dîner avec moi s'il connaissait un bon endroit suffisamment bon marché. Il dit qu'il en connaissait un qui était excellent. Nous fîmes un dîner très économique dans un restaurant algérien et j'aimai la nourriture et le vin d'Algérie. Le mangeur de feu était un brave homme et c'était intéressant de le voir manger et mâcher avec ses gencives aussi bien que la plupart des gens avec leurs dents. Il me demanda de quoi je vivais et je lui dis que j'étais apprenti écrivain. Il me demanda ce que j'écrivais et je lui dis que c'étaient des contes. Il dit qu'il connaissait beaucoup de contes, quelques-uns plus horribles et incroyables que tous ceux qui avaient jamais été écrits. Il pourrait me les raconter et je les écrirais et si cela rapportait quelque argent je lui en donnerais la part que j'estimerais équitable. Mieux encore, nous pourrions aller ensemble en Afrique du Nord et il m'emmènerait au pays du Sultan bleu où j'apprendrais des histoires telles qu'aucun homme n'en avait jamais entendues.

Je lui demandai de quelles sortes d'histoires il s'agissait et il dit qu'il s'agissait de batailles, d'exécutions, de tortures, de viols, de coutumes effroyables, de pratiques incroyables, de débauches ; tout ce que je voudrais. Il était temps pour moi de rentrer à l'hôtel afin de m'y enquérir à nouveau de Scott, de sorte que je réglai l'addition et dis au mangeur de feu que nous aurions certainement l'occasion de nous revoir. Il me fit savoir qu'il descendait à Marseille en travaillant le long de la route et je lui dis que tôt ou tard nous nous reverrions quelque part et que c'était un plaisir pour moi d'avoir dîné avec lui. Quand je le quittai, il était en train de redresser les pièces de monnaie qu'il avait pliées et les déposait en petits tas sur la table ; quant à moi je rentrai à pied à l'hôtel.

Lyon n'est pas très gai la nuit. C'est une grande ville lourde, cossue, et probablement agréable quand on a de l'argent et qu'on aime ce genre de ville. Pendant des années j'avais entendu parler des merveilleuses volailles qu'y servent les restaurants, mais nous avions mangé du mouton ; ce mouton était d'ailleurs excellent.

Je ne trouvai pas de nouvelles de Scott à l'hôtel et j'allai me coucher dans ma chambre, d'un luxe auquel je n'étais pas habitué, et je lus le premier tome des *Récits d'un chasseur* de Tourgueniev que j'avais emprunté à la librairie de Sylvia Beach. Je n'avais pas goûté au luxe d'un grand hôtel depuis trois ans et j'avais ouvert en grand les fenêtres et remonté les oreillers sous mes épaules et ma tête et je me sentis heureux en compagnie de Tourgueniev, en Russie, jusqu'au moment où je m'endormis le nez sur mon livre. J'étais en train de me raser, le lendemain matin, et de me préparer à sortir pour prendre le petit déjeuner quand le concierge m'appela pour dire qu'un monsieur était en bas pour me voir.

« Demandez-lui de monter, s'il vous plaît », dis-je, et je continuai à me raser en écoutant les bruits de la ville dont l'animation se manifestait depuis les premières heures de la matinée.

Scott ne monta pas et je le rejoignis en bas, à la réception.

« Je suis terriblement désolé de ce malentendu, dit-il. Si seulement j'avais pu savoir à quel hôtel vous alliez, tout aurait été très simple.

— Tout va bien », dis-je. Nous allions faire une longue route, et je me sentais d'humeur très pacifique. « Quel train avez-vous pris ?

— Il y en avait un qui partait peu de temps après le vôtre. C'était un train très confortable et nous aurions pu aussi bien faire le voyage ensemble.

— Avez-vous pris votre petit déjeuner ?

— Pas encore. J'ai passé mon temps à vous chercher dans toute la ville.

— Quel dommage ! dis-je. Est-ce que l'on ne vous a pas dit, chez vous, que j'étais ici ?

— Non. Zelda ne se sentait pas bien et je n'aurais probablement pas dû venir. Ce voyage a été désastreux jusqu'à présent.

— Prenons notre petit déjeuner, et allons chercher la voiture et partons, dis-je.

— Très bien. Est-ce qu'il ne faudrait pas prendre le petit déjeuner ici ?

— Nous perdrions moins de temps dans un café.

— Mais nous sommes sûrs d'avoir un bon petit déjeuner ici.

— Très bien. »

C'était un copieux petit déjeuner américain avec des œufs au jambon, et il était délicieux, mais après l'avoir commandé, attendu, mangé, et payé, nous avions perdu plus d'une heure. Au moment où le serveur apportait enfin l'addition, Scott s'avisa de demander à l'hôtel un déjeuner froid pour la route. J'essayai de l'en dissuader car j'étais sûr que nous pourrions acheter une bouteille de mâcon à Mâcon et de quoi faire des sandwiches dans une *charcuterie.* Et même, si tout était fermé sur notre passage, il y aurait assez de restaurants où nous arrêter le long de la route. Mais il dit que je lui avais vanté les volailles de Lyon et il voulut à toute force que nous en prenions une. De sorte que l'hôtel nous prépara un déjeuner qui, en fin de compte, ne coûta pas plus de quatre ou cinq fois le prix que nous aurions payé si nous l'avions acheté nous-mêmes.

Scott, de toute évidence, avait commencé à boire avant de me retrouver et pourtant, comme il semblait avoir besoin d'un verre, je lui demandai s'il ne voulait pas prendre quelque chose au bar avant de partir. Il me répondit qu'il ne buvait généralement pas le matin et me demanda ce qu'il en était pour ma part. Je lui dis que cela dépendait entièrement de mon humeur et de ce que j'avais à faire, et il dit que si je ressentais le besoin d'un verre il me tiendrait compagnie pour que je ne sois pas obligé de boire seul. Nous prîmes un whisky avec du Perrier au bar pendant qu'on nous préparait notre déjeuner et nous nous sentîmes tous deux beaucoup mieux.

Je payai la chambre d'hôtel et les consommations, bien que Scott eût proposé de tout régler lui-même. Depuis le début du voyage j'avais été un peu gêné à ce sujet et je pensais que plus je pourrais payer, mieux je me sentirais. J'étais en train de dépenser l'argent que nous avions mis de côté pour aller en Espagne, mais je savais que mon crédit était intact chez Sylvia Beach et que je pourrais emprunter et rembourser tout ce que je gaspillais maintenant. Au garage où Scott avait laissé sa voiture, je fus étonné de constater que la petite Renault n'avait pas de toit. Il avait été endommagé lors du débarquement à Marseille, d'une façon ou d'une autre, et Zelda l'avait fait couper et refusait de le remplacer. Scott me dit que sa femme détestait les conduites intérieures, et ils avaient roulé sans toit jusqu'à Lyon où la pluie avait interrompu leur voyage. À part cela, la voiture était en bon état et Scott paya la facture après avoir contesté le prix du lavage, du graissage et des deux litres d'huile qu'on avait ajoutés. Le garagiste m'expliqua que la voiture avait besoin de cylindres neufs et qu'elle avait manifestement manqué d'eau et d'huile. Il me fit voir que, par l'effet de la chaleur trop forte, la peinture, sur le moteur, avait été complètement brûlée. Il ajouta que si je pouvais persuader Monsieur de changer les cylindres à Paris, la voiture, qui était une bonne petite machine, pourrait remplir l'emploi pour lequel elle avait été conçue.

« Monsieur ne m'a pas laissé remettre le toit.

— Non ?

— On a des obligations envers une voiture.

— C'est vrai.

— Ces Messieurs n'ont pas d'imperméables ?

— Non, dis-je. (Je n'avais pas entendu parler du toit.)

— Essayez de rendre Monsieur plus sérieux,

plaida-t-il, au moins en ce qui concerne la voiture.

— Ah ! » dis-je.

La pluie nous arrêta une heure environ après que nous eûmes quitté Lyon.

Ce jour-là, la pluie nous arrêta peut-être dix fois.

Les averses se succédaient, plus ou moins longues. Si nous avions eu des imperméables, il aurait été assez agréable de conduire sous cette pluie printanière. Mais, faute de mieux, il nous fallait nous abriter sous les arbres ou dans des cafés le long de la route. Le déjeuner froid fourni par l'hôtel de Lyon était merveilleux et consistait en une excellente volaille rôtie et truffée, un pain délicieux et du mâcon blanc ; et Scott se montrait particulièrement heureux de tâter de ce mâcon à chacun de nos arrêts. À Mâcon, j'achetai quatre bouteilles supplémentaires d'excellent vin que je débouchai au fur et à mesure de nos besoins.

Je ne suis pas sûr que Scott eût jamais bu du vin au goulot auparavant et cela le rendait excité comme s'il avait traîné dans les bas-fonds ou comme l'est une fille qui nage pour la première fois sans maillot. Mais au début de l'après-midi il commença à se faire du souci pour sa santé. Il me parla de deux personnes qui avaient récemment succombé à des congestions pulmonaires. L'une et l'autre étaient décédées en Italie et il en avait été profondément affecté. Je lui dis que parler de congestion pulmonaire n'était qu'une façon désuète de désigner la pneumonie et il me répondit que je n'y connaissais rien et que j'avais absolument tort. La congestion pulmonaire était selon lui une maladie particulière à l'Europe et je ne pouvais rien en savoir, même si j'avais lu les traités de médecine de mon père qui ne mentionnaient que des maladies typiquement américaines. Je dis que mon père avait aussi fait des études en Europe. Mais Scott m'expliqua que la congestion pulmonaire avait fait son apparition en Europe tout récemment, de sorte que mon père ne pouvait en avoir entendu parler. Il expliqua aussi que les maladies étaient différentes selon les régions, même aux États-Unis, et que si mon père avait exercé la médecine à New York au lieu de s'installer dans l'Ouest, il aurait connu une gamme toute différente de maladies. Il employa vraiment le mot gamme.

Je dis qu'il avait raison dans la mesure où certaines maladies se manifestaient en quelque région déterminée des États-Unis alors qu'elles n'existaient pas ailleurs et je mentionnai les cas de lèpre à La Nouvelle-Orléans, alors qu'il n'y en avait guère à Chicago. Mais je dis aussi que les médecins avaient mis au point des échanges de connaissances et d'informations entre eux, et que je me rappelais d'ailleurs maintenant, puisqu'il avait soulevé la question, avoir lu un article digne de foi sur la congestion pulmonaire en Europe dans le *Journal de l'Association médicale américaine* qui en retraçait l'histoire depuis le temps d'Hippocrate lui-même. Cela eut raison de lui pour lors et je le pressai de boire encore un coup de mâcon car un bon vin blanc avec suffisamment de corps, mais une faible teneur en alcool, est un remède quasi spécifique contre la maladie.

Scott en fut un peu ragaillardi, mais il retomba peu après dans ses tristes réflexions et il me demanda si nous parviendrions à une grande ville avant le début de la fièvre et du délire qui, je le lui avais dit, annonçaient la véritable congestion pulmonaire européenne. Je répondis que j'avais traduit de mémoire un article que j'avais lu dans un journal médical français sur cette maladie, alors que j'attendais à l'hôpital américain de Neuilly qu'on me cautérise la gorge. Le verbe cautériser exerça sur Scott un effet apaisant, mais il n'en voulait pas moins savoir quand nous arriverions à la prochaine ville. Je répondis qu'en mettant les gaz nous y serions dans trente-cinq minutes au plus tôt, une heure au plus tard.

Scott me demanda alors si j'avais peur de mourir et je répondis que c'était selon les moments.

Il commença alors à pleuvoir vraiment fort et nous nous réfugiâmes dans un café, au village suivant. Je ne peux me rappeler tous les détails de cet après-midi, mais lorsque nous parvînmes finalement à un hôtel, dans une ville qui devait être Chalon-sur-Saône, il était si tard que la pharmacie était fermée. Scott se déshabilla et se coucha aussitôt arrivé à l'hôtel. Cela lui était égal de mourir d'une congestion pulmonaire, disait-il, mais ce qui le tourmentait c'était de se demander qui s'occuperait de Zelda et de la petite Scotty. Je ne voyais pas comment je pourrais m'occuper d'elles, étant donné que j'avais suffisamment de mal à m'occuper de ma femme Hadley et de mon jeune fils Bumby, mais je dis que je ferais de mon mieux et Scott me remercia. Je devrais veiller à ce que Zelda ne bût pas trop et à ce que Scotty eût une gouvernante anglaise.

Nous étions en pyjama car nous avions donné nos vêtements à faire sécher. La pluie tombait toujours dehors, mais la chambre était gaie et éclairée à l'électricité. Scott était étendu sur le lit, afin de conserver toutes ses forces pour lutter contre la maladie. J'avais pris son pouls qui était à soixante-douze, et tâté son front qui était frais. J'avais mis mon oreille contre sa poitrine et lui avais ordonné de respirer profondément et le bruit était parfaitement normal.

« Écoutez, Scott, dis-je, vous êtes en parfaite santé. Si vous voulez prendre toutes les précautions contre un refroidissement, restez simplement au lit et je vais commander pour chacun de nous une citronnade et un whisky et vous boirez les vôtres avec un cachet d'aspirine et vous vous sentirez très bien et vous n'attraperez même pas un rhume de cerveau.

— Ces vieux remèdes de bonne femme ! dit Scott.

— Vous n'avez pas de température. Nom de Dieu, comment pourriez-vous avoir une congestion pulmonaire sans température ?

— Ne me lancez pas de jurons, dit Scott. Comment savez-vous que je n'ai pas de température ?

— Votre pouls est normal et vous ne semblez pas avoir de fièvre, au toucher.

— Au toucher, dit amèrement Scott. Si vous êtes vraiment mon ami, procurez-moi un thermomètre.

— Je suis en pyjama.

— Envoyez quelqu'un en chercher un. »

Je sonnai le valet de chambre. Il ne vint pas et je sonnai de nouveau et je descendis dans le hall à sa recherche. Scott était étendu, les yeux fermés, respirant lentement et avec précaution ; sa couleur cireuse et ses traits parfaits lui donnaient l'air d'un petit Croisé défunt. Je commençais à en avoir assez de la vie littéraire — si c'était cela la vie littéraire — et je regrettais déjà de ne pas pouvoir travailler et ressentais l'impression de mortelle solitude qui survient à la fin de chaque journée gâchée. J'en avais vraiment assez de Scott et de ses comédies idiotes, mais je trouvai le valet de chambre et lui donnai de l'argent pour qu'il allât chercher un thermomètre et un tube d'aspirine et je commandai deux *citrons pressés* et deux doubles whiskies. J'essayai d'en obtenir une bouteille, mais ils ne vendaient le whisky que par verre.

Je rentrai dans la chambre où Scott était toujours étendu, comme dans sa tombe, sculpté tel un monument à sa gloire, les yeux clos, et respirant avec une dignité exemplaire.

En m'entendant entrer dans la pièce, il parla. « Vous avez le thermomètre ? »

Je m'approchai de lui et posai la main sur son front ; il n'était pas aussi froid que la tombe, mais il était frais et sec.

« Que non ! dis-je.

— Je pensais que vous le rapporteriez.

— J'ai envoyé quelqu'un le chercher.

— Ce n'est pas la même chose.

— Non, n'est-ce pas ? »

Il était impossible d'en vouloir à Scott plus qu'à n'importe quel fou, mais je commençais à m'en vouloir à moi-même pour m'être laissé entraîner dans cette aventure stupide. Il avait pourtant quelque raison d'avoir peur et je le savais bien. En ce temps-là, la plupart des alcooliques mouraient de pneumonie, maladie qui a presque disparu aujourd'hui. Mais il était difficile de le tenir pour un alcoolique tant il supportait mal l'alcool.

En Europe nous considérions alors le vin comme un aliment normal et sain et aussi comme une grande source de bonheur, de bien-être et de plaisir. Boire du vin n'était pas un signe de snobisme ou de raffinement, ni une religion ; c'était aussi naturel que de manger et, quant à moi, aussi nécessaire, et je n'aurais pu imaginer prendre un repas sans boire du vin, du cidre ou de la bière. J'aimais tous les vins sauf les vins doux ou de dessert et les vins trop épais, et je n'aurais jamais pu penser qu'en partageant avec Scott quelques bouteilles de mâcon blanc, sec et très léger, cela déclencherait en lui un processus chimique qui le rendrait cinglé. Il y avait bien eu les whiskies au Perrier, le matin, mais j'ignorais tout, alors, des éthyliques et ne pouvais imaginer qu'un seul whisky pouvait faire du mal à un homme avant une course en voiture découverte sous la pluie. L'alcool aurait dû être brûlé en un rien de temps.

Tandis que nous attendions le retour du valet de chambre, je m'assis pour lire un journal et finir l'une des bouteilles de mâcon, celle qui avait été débouchée au dernier arrêt. Il y a toujours quelques crimes magnifiques dans les quotidiens français. Ces crimes sont racontés comme des histoires à suivre et, pour en apprécier chaque épisode, il est nécessaire d'avoir lu le début car il n'y a pas de résumé chaque jour comme pour les feuilletons publiés aux États-Unis ; d'ailleurs pour apprécier vraiment un feuilleton publié dans un journal américain il faut avoir lu le chapitre clé du début. Quand vous voyagez à travers la France, vous êtes déçu par la lecture des journaux. Faute de continuité, les histoires des différents *crimes*, affaires ou *scandales* ne vous procurent plus le même plaisir, quand vous les lisez, au café. Ce soir-là j'aurais de beaucoup préféré être au café où j'aurais pu lire les éditions matinales des journaux parisiens et regarder les gens et boire quelque chose d'un peu plus fort que du mâcon en guise d'apéritif avant le dîner. Mais je jouais au bon pasteur avec Scott, de sorte qu'il me fallait me distraire là où j'étais.

Quand le valet de chambre arriva avec les deux verres, les citrons pressés, la glace, les whiskies et la bouteille de Perrier, il me dit que la pharmacie était fermée et qu'il n'avait pas pu se procurer de thermomètre. Il avait emprunté un peu d'aspirine. Je lui demandai de chercher à emprunter un thermomètre. Scott ouvrit les yeux et lança au garçon un douloureux regard irlandais.

« Lui avez-vous dit combien c'était grave ? demanda-t-il.

— Je pense qu'il comprend.

— Je vous en prie, essayez de l'en convaincre. »

Je tâchai de convaincre le valet de chambre et il dit : « J'apporterai ce que je pourrai. »

« Lui avez-vous donné un pourboire suffisant pour que ça lui fasse de l'effet ? Ils ne travaillent qu'aux pourboires.

— Je ne savais pas, dis-je. Je croyais que l'hôtel leur versait aussi un salaire.

— Je veux dire qu'ils ne font rien s'ils ne reçoivent pas un pourboire important. La plupart d'entre eux sont pourris jusqu'à la moelle. »

Je pensai à Evan Shipman et je pensai au serveur de La Closerie des Lilas qui avait été contraint de couper sa moustache lors de l'ouverture du bar américain de la Closerie, et je me rappelai comme Evan était allé travailler dans le jardin du serveur, à Montrouge, longtemps avant ma rencontre avec Scott, et combien nous avions tous été amis et pendant si longtemps à la Closerie, et tout ce qui était arrivé et tout ce que cela signifiait pour nous tous. J'eus envie de raconter à Scott toute l'histoire de la Closerie bien que je lui en eusse probablement déjà touché un mot, mais je savais qu'il se souciait peu des serveurs et de leurs problèmes, de leur grande gentillesse et de leurs sentiments. En ce temps-là, Scott détestait les Français et comme les seuls Français qu'il rencontrait régulièrement étaient des serveurs qu'il ne comprenait pas, des chauffeurs de taxi, des employés de garage et des propriétaires, il avait de nombreuses occasions d'en dire pis que pendre et de les houspiller. Il détestait les Italiens plus encore que les Français et ne pouvait en parler avec sérénité même quand il n'était pas ivre. Il détestait souvent les Anglais, mais les tolérait parfois et les appréciait à l'occasion. Je ne savais pas ce qu'il pensait des Allemands et des Autrichiens. Je ne savais pas s'il avait jamais rencontré un Suisse. Ce soir-là, à l'hôtel, j'étais ravi de voir qu'il se tenait si tranquille. J'avais mélangé le whisky à la citronnade et lui avais donné le tout avec deux aspirines et il avait avalé les aspirines sans protester et avec un calme admirable et il était en train de siroter sa boisson. Ses yeux étaient ouverts désormais, et regardaient au loin. Je lisais la page des *crimes* à l'intérieur du journal et me sentais heureux, trop heureux, me semblait-il.

« Vous êtes un être froid, n'est-ce pas ? » demanda Scott et, en levant les yeux sur lui, je compris que je m'étais trompé dans mon ordonnance, sinon dans mon diagnostic, et que le whisky était en train d'œuvrer contre nous.

« Que voulez-vous dire, Scott ?

— Vous pouvez rester assis à lire ce sale torchon de papier français et cela ne vous fait rien que je sois en train de mourir.

— Voulez-vous que j'appelle un médecin ?

— Non, je ne veux pas d'un sale médecin de province français.

— Qu'est-ce que vous voulez ?

— Je veux qu'on prenne ma température. Ensuite, je veux qu'on me rende mes vêtements secs, après quoi nous prendrons un express pour Paris et j'irai à l'hôpital américain de Neuilly.

— Nos vêtements ne seront pas secs avant demain matin et il n'y a pas d'express de nuit, dis-je. Pourquoi ne pas vous reposer et dîner au lit ?

— Je veux qu'on prenne ma température. »

Après une longue discussion sur ce thème, le valet de chambre apporta un thermomètre.

« Est-ce le seul que vous ayez pu vous procurer ? » demandai-je.

Scott avait fermé les yeux quand le valet de chambre était entré et il semblait aussi lointain qu'un saint d'albâtre. Je n'ai jamais vu aucun autre homme dont le visage pouvait devenir aussi rapidement exsangue et je me demandai où tout son sang était passé.

« C'est le seul que j'aie trouvé dans l'hôtel », dit le valet de chambre et il me tendit le thermomètre.

C'était un thermomètre de bain, fixé à une plaquette en bois et suffisamment lesté de métal pour être immergé dans une baignoire. Je bus une rapide rasade de ma citronnade au whisky et ouvris la fenêtre un moment pour regarder la pluie dehors. Quand je me retournai, Scott me regardait fixement.

Je pris un air doctoral pour secouer le thermomètre et dis :

« Vous avez de la chance, ce n'est pas un thermomètre rectal.

— Où est-ce qu'on se le met ?

— Sous le bras, dis-je, et je le serrai sous mon bras.

— Ne le faites pas monter », dit Scott.

Je secouai de nouveau le thermomètre d'un seul geste rapide du poignet et déboutonnai le haut du pyjama de Scott et mis l'instrument sous son aisselle tandis que je tâtais son front frais, puis je pris son pouls une fois de plus.

Il regardait droit devant lui. Je comptai soixante-douze pulsations par minute. Je laissai le thermomètre en place pendant quatre minutes.

« Je croyais qu'on ne les gardait qu'une seule minute, dit Scott.

— C'est un grand thermomètre, expliquai-je. Il faut multiplier par le carré de la longueur du thermomètre. C'est un thermomètre centigrade. »

Finalement je repris le thermomètre et l'examinai à la lumière de la lampe de chevet.

« Combien ?

— Trente-sept et six dixièmes.

— Est-ce que c'est normal ?

— C'est normal.

— Vous êtes sûr ?

— Sûr.

— Essayez sur vous-même. Je veux être absolument sûr. »

Je secouai le thermomètre, ouvris mon pyjama et mis l'instrument sous mon aisselle et je l'y maintins pendant que je surveillais ma montre. Ensuite je l'examinai.

« Combien ? demanda Scott, pendant que je réfléchissais.

— Exactement la même chose.

— Comment vous sentez-vous ?

— Magnifiquement bien », dis-je.

J'essayai de me rappeler si trente-sept six était une température normale ou non. Cela n'avait pas grande importance car, de toute façon, le thermomètre marquait imperturbablement trente degrés.

Scott était quelque peu soupçonneux, de sorte que je lui demandai s'il voulait répéter l'expérience.

« Non, dit-il. Nous pouvons nous réjouir de cette guérison rapide. J'ai toujours récupéré très vite.

— Tout va bien, dis-je. Mais je crois que vous devriez rester au lit et souper légèrement, et ainsi nous pourrions partir tôt, demain matin. »

J'avais projeté d'acheter deux imperméables, mais il me faudrait emprunter l'argent à Scott et je ne voulais pas commencer à en discuter sur-le-champ.

Scott ne voulut pas rester couché, il voulait se lever, s'habiller et descendre pour téléphoner à Zelda afin de lui faire savoir qu'il était en bonne santé.

« Pourquoi penserait-elle que vous n'êtes pas en bonne santé ?

— C'est la première nuit que je passe loin d'elle depuis que nous sommes mariés et il faut que je lui parle. Vous pouvez bien comprendre ce que cela signifie pour nous deux, n'est-ce pas ? »

Je pouvais bien le comprendre, mais ce que je ne pouvais pas comprendre c'était comment Zelda et lui avaient dormi ensemble la nuit précédente ; mais ce n'était pas un point dont il convenait de discuter. Scott buvait rapidement sa citronnade au whisky et me demanda de lui en commander une autre. Je trouvai le valet de chambre et lui rendis le thermomètre et lui demandai où en étaient nos vêtements. Il pensait que nos affaires pourraient être sèches dans une heure environ.

« Demandez qu'on les repasse et cela les séchera. Elles n'ont pas besoin d'être sèches comme des bûches. »

Le valet de chambre apporta deux nouveaux verres de la drogue contre les refroidissements et je bus le mien et j'insistai auprès de Scott pour qu'il bût lentement. Je craignais maintenant de le voir prendre froid pour de bon et je savais désormais que s'il attrapait quelque chose d'aussi grave qu'un rhume il devrait probablement être hospitalisé. Mais la boisson le remit tout à fait d'aplomb pour un bout de temps et il se sentait heureux de penser combien il était déchirant pour lui et Zelda d'être séparés pour la première fois, la nuit, depuis leur mariage. Finalement il ne put attendre plus longtemps pour lui parler et il mit sa robe de chambre et descendit téléphoner.

Il ne put obtenir immédiatement la communication ; et il remonta bientôt dans la chambre où le garçon d'étage le suivit avec deux nouvelles et doubles rations de citronnade au whisky. Je n'avais jamais vu Scott boire autant jusque-là, mais cela ne produisit aucun effet sur lui, sauf qu'il se montra plus loquace et plus animé et qu'il commença à me raconter dans ses grandes lignes sa vie avec Zelda. Il me raconta qu'il l'avait rencontrée, une première fois, pendant la guerre et qu'il l'avait perdue, puis reconquise, et il me parla de leur mariage et ensuite d'un événement tragique qui leur était arrivé à Saint-Raphaël, un an auparavant. Cette première version des amours de Zelda avec un pilote français de l'aéronavale, telle qu'il me la raconta, était vraiment triste et je crois qu'elle était vraie. Plus tard, il me raconta plusieurs autres versions de l'aventure, comme s'il en essayait l'efficacité, en vue d'un roman, mais aucune n'était aussi triste que la première et j'ai toujours pensé que c'était la bonne, bien que toutes auraient pu être également vraies. Il les narrait de mieux en mieux, chaque fois, mais aucune n'était aussi bouleversante que la première.

Scott s'exprimait fort bien et contait à merveille. Il n'avait pas besoin d'articuler chaque mot ni de faire un effort pour ponctuer ses phrases, et ses discours ne faisaient pas penser que l'on avait affaire à un illettré comme c'était le cas pour ses lettres avant qu'elles n'aient été corrigées. Il lui fallut deux ans pour apprendre à écrire et à prononcer correctement mon nom, mais c'était un nom compliqué et peut-être même la chose se compliquait-elle au fur et à mesure. Je suis très reconnaissant à Scott d'avoir pu enfin l'écrire correctement. Il lui fallut apprendre à se servir d'autres mots, bien plus importants, par la suite, et à réfléchir lucidement à propos d'autres encore.

Cette nuit-là, il voulait pourtant me faire savoir et me faire comprendre ce qui était arrivé à Saint-Raphaël, quoi que ce fût, et je le compris si clairement que je pouvais imaginer le petit hydravion monoplace bourdonnant autour du plongeoir flottant, et la couleur de la mer, et la forme des pontons et l'ombre qu'ils jetaient, et le hâle de Zelda et le hâle de Scott et la blondeur sombre et la blondeur claire de leurs cheveux, et le visage brun et tanné du garçon qui était amoureux de Zelda. Je ne pus poser la question que j'avais à l'esprit : comment, si cette histoire était vraie et si tout s'était bien passé ainsi, comment donc Scott pouvait-il avoir dormi chaque nuit dans le même lit que Zelda ? Mais peut-être était-ce cela qui rendait l'histoire plus triste qu'aucune autre qu'on m'eût jamais contée, et peut-être aussi ne se souvenait-il pas de ces nuits-là, de même qu'il avait oublié la nuit précédente.

On nous apporta nos vêtements avant que Scott n'obtînt sa communication et nous nous habillâmes et descendîmes dîner. Scott était un peu agité maintenant et regardait les gens du coin de l'œil avec une certaine agressivité. On nous servit de très bons escargots avec une carafe de fleurie pour commencer et nous étions déjà lancés en pleine dégustation quand on nous annonça la communication demandée par Scott. Celui-ci resta absent pendant une heure environ et finalement je mangeai ses escargots et sauçai de petits morceaux de pain dans le mélange de beurre, de persil et d'ail, et je bus la carafe de fleurie. Quand il revint, je proposai de commander d'autres escargots pour lui, mais il répondit qu'il n'en voulait pas. Il voulait quelque chose de simple. Il ne voulait ni steak, ni foie, ni lard, ni omelette. Il prendrait du poulet. Nous avions mangé un délicieux poulet froid au déjeuner, mais nous étions toujours dans une région renommée pour ses volailles, de sorte que nous nous fîmes servir une *poularde de Bresse* et une bouteille de montagny, un vin blanc des environs, léger et agréable. Scott mangea très peu et but seulement un verre de vin, et il s'évanouit là, à table, la tête entre les mains. C'était un évanouissement tout à fait naturel et l'on n'y discernait aucune trace de comédie, bien que Scott parût faire attention à ne rien renverser ni casser. Je le fis monter dans sa chambre avec l'aide du serveur, nous l'étendîmes sur le lit et je le déshabillai, ne lui laissant que ses sous-vêtements ; je suspendis ses vêtements et arrachai les couvertures du lit pour les disposer sur lui. J'ouvris ensuite la fenêtre et vis que le temps était clair et je laissai la fenêtre ouverte.

Je terminai mon dîner en bas, en pensant à Scott. Il était évident qu'il devait s'abstenir de boire et j'aurais dû prendre grand soin de lui. Tout ce qu'il buvait semblait l'exciter trop et ensuite l'intoxiquer et je décidai de réduire la boisson au minimum le lendemain. Je lui dirais que nous approchions de Paris et que je devais me discipliner pour me mettre en état d'écrire. Ce n'était pas vrai. Ma discipline consistait seulement à ne pas boire après le dîner, ni avant d'écrire, ni pendant que j'écrivais. Je montai et ouvris les fenêtres en grand et me déshabillai et je m'endormis presque aussitôt couché.

Le lendemain, nous roulions vers Paris par une belle journée, à travers la Côte d'Or, dans l'air frais lavé, entre des collines, des champs et des vignobles tout neufs, et Scott était très gai et heureux et en bonne santé, et il me racontait le sujet de chacun des livres de Michael Arlen. Michael Arlen, disait-il, était un homme à surveiller car il nous en remontrerait à tous deux. Je dis que je ne pouvais pas lire ses livres. Il dit que ce n'était pas nécessaire : il me raconterait les intrigues et décrirait les personnages. Il improvisa pour moi une sorte de dissertation de doctorat sur Michael Arlen.

Je lui demandai si les communications téléphoniques avec Paris étaient bonnes, la veille, lorsqu'il avait parlé à Zelda, et il me dit qu'elles n'étaient pas mauvaises et qu'ils avaient eu beaucoup de choses à se dire. Au repas je commandai une bouteille du vin le plus léger que je pus trouver et je dis à Scott qu'il me rendrait service en m'empêchant d'en commander davantage car je devais me mettre en état d'écrire et ne pouvais en aucun cas boire plus d'une demi-bouteille. Il se prêta merveilleusement à mon jeu et quand il constata que je semblais nerveux en voyant l'unique bouteille tirer à sa fin, il me donna un peu de sa part.

Quand je l'eus quitté, chez lui, et une fois rentré en taxi à la scierie, il me parut merveilleux de retrouver ma femme, et nous remontâmes jusqu'à La Closerie des Lilas pour prendre un verre. Nous étions heureux comme des enfants qui se retrouvent après avoir été séparés et je lui racontai mon voyage.

« Mais, est-ce que tu ne t'es pas amusé, est-ce que tu n'as rien appris, Tatie ? demanda-t-elle.

— J'aurais appris des choses sur Michael Arlen si j'avais écouté et j'ai appris d'autres choses que je n'ai pas encore triées.

— Scott n'est-il pas heureux du tout ?

— Peut-être.

— Le pauvre.

— J'ai appris une chose.

— Quoi ?

— À ne jamais voyager avec quelqu'un dont je ne sois pas amoureux.

— N'est-ce pas merveilleux ?

— Oui, et nous irons en Espagne.

— Oui. Dans moins de six semaines. Et cette année nous ne laisserons personne gâcher notre voyage, n'est-ce pas ?

— Non. Et après Pampelune nous irons à Madrid et à Valence.

— M-m-m-m, fit-elle doucement, comme un chat.

— Pauvre Scott, dis-je.

— Pauvres de nous, dit Hadley, dont toute la fortune tient dans un encrier.

— Nous avons beaucoup de chance.

— Il nous faut être bien sages pour la mériter. »

Nous frappâmes tous deux le bois de la table du café et le serveur accourut pour demander ce que nous voulions ; mais ce que nous voulions, il ne pouvait nous le donner, ni lui ni personne d'autre, et nous ne l'obtiendrions pas non plus en touchant du bois ni même en touchant le marbre dont était fait le plateau de la table. Mais cela nous ne le savions pas, ce soir-là, et nous nous sentions très heureux.

Un jour ou deux après le voyage, Scott nous apporta son livre, recouvert d'une jaquette aux couleurs criardes, et je me rappelle avoir été gêné par son aspect violent, scabreux et vulgaire. On eût dit la jaquette d'un mauvais livre de science-fiction. Scott me demanda de ne pas nous en étonner car le dessin représentait une grande affiche, placée sur le bord d'une route nationale, à Long Island ; elle jouait un rôle important dans l'histoire. Il dit qu'il avait aimé cette jaquette et que maintenant il ne l'aimait plus. Je l'ôtai avant de lire le livre.

Quand j'eus fini ma lecture, je savais une chose : quoi que Scott fît et de quelque façon qu'il le fît, il me faudrait le traiter comme un malade et l'aider dans la mesure du possible et essayer d'être son ami. Il avait déjà beaucoup de bons, de très bons amis, plus que personne à ma connaissance, mais je me tins désormais pour l'un d'eux, moi aussi, sans savoir encore si je pourrais lui être de quelque secours. S'il pouvait écrire un livre aussi bon que *Gatsby le Magnifique*, j'étais sûr qu'il pourrait en écrire un qui serait encore meilleur. Je ne connaissais pas encore Zelda et ne savais point, par conséquent, quels terribles atouts Scott avait contre lui. Mais nous ne tarderions pas à le savoir.

Les faucons ne partagent pas

Scott Fitzgerald nous avait invités à déjeuner avec sa femme et sa petite fille dans l'appartement meublé qu'ils avaient loué, 14, rue de Tilsitt. Je ne me rappelle pas grand-chose de l'appartement, sauf qu'il était sombre et sans air, et qu'on n'y voyait rien qui semblât appartenir aux Fitzgerald, si ce n'est les premiers livres de Scott, reliés en cuir bleu clair avec des titres dorés. Scott nous montra aussi un grand livre de comptes où se trouvaient inscrits tous les textes qu'il avait publiés, année par année, avec les prix qui leur avaient été décernés, et les sommes qu'il avait touchées pour chaque adaptation cinématographique, et ses droits d'auteur pour chaque édition. Tout était soigneusement noté comme sur le journal de bord d'un navire et Scott nous montra le registre avec la fierté impersonnelle d'un conservateur de musée. Il semblait à la fois nerveux et hospitalier, et il nous montrait ses comptes comme il nous aurait montré la vue, s'il y en avait eu une.

Zelda avait une terrible gueule de bois. Tous deux étaient allés à Montmartre, la nuit précédente, et ils s'étaient disputés parce que Scott ne voulait pas s'enivrer. Il avait décidé, me dit-il, de travailler dur et de ne plus boire et Zelda le traitait comme un trouble-fête et un rabat-joie. Elle le qualifia de tel, et il protesta et elle dit : « Non. Je n'ai pas dit ça. Ce n'est pas vrai, Scott. » Plus tard elle sembla se rappeler quelque chose et rit joyeusement.

Ce jour-là, Zelda n'était pas en beauté. Sa magnifique chevelure, d'un blond foncé, avait été abîmée par une mauvaise permanente, à Lyon, lorsque la pluie leur avait fait abandonner leur voiture, et ses yeux étaient fatigués et ses traits tirés.

Elle se montra superficiellement charmante envers Hadley et moi, mais elle semblait à moitié absente comme si une partie d'elle-même s'était attardée à faire la foire au cours de la nuit et n'était pas encore rentrée au logis. Elle-même et Scott semblaient croire que nous nous étions follement amusés sur la route, en revenant de Lyon, et elle en était jalouse.

« Puisque vous pouvez aller vous donner du bon temps, tous les deux, à ce point-là, il me paraît juste que je m'amuse un tout petit peu avec nos bons amis, ici à Paris », dit-elle à Scott.

Scott jouait à la perfection son rôle de maître de maison et nous fit servir un exécrable déjeuner que le vin égaya un peu mais pas beaucoup. La petite fille était blonde, joufflue, bien bâtie et apparemment très saine, et elle parlait anglais avec un fort accent faubourien de Londres. Scott expliqua qu'elle avait une gouvernante anglaise parce qu'il voulait qu'elle pût s'exprimer comme Lady Diana Manners quand elle serait grande.

Zelda avait des yeux de faucon, une petite bouche et des façons très sudistes, avec un accent à l'avenant. En observant son visage, vous pouviez voir son esprit quitter la table et se retremper dans l'équipée de la nuit précédente, pour en revenir avec un regard d'abord vide comme celui d'un chat, puis chargé de plaisir, et le plaisir se manifestait sur le fin contour de ses lèvres, avant de disparaître. Scott se conduisait comme doit le faire un hôte cordial, et Zelda sourit joyeusement avec les yeux et la bouche à la fois, quand elle le vit boire du vin. J'appris à très bien connaître ce sourire. Il signifiait qu'elle savait que Scott ne pourrait pas écrire.

Zelda était jalouse du travail de Scott, et quand il nous arriva de les mieux connaître, ce fut un fait acquis. Scott décidait parfois de ne plus passer des nuits entières à boire, de faire de l'exercice tous les jours et de travailler avec régularité. Il se mettait au travail et dès qu'il travaillait bien, Zelda commençait à se plaindre de son ennui et l'entraînait dans quelque beuverie. Ils se disputaient, se réconciliaient, et il faisait de longues promenades avec moi pour dissiper les effets de l'alcool et prenait la résolution de se remettre au travail pour de bon, cette fois, et il repartait du bon pied. Et puis tout recommençait.

Scott était très amoureux de Zelda et il en était très jaloux. Il me raconta plusieurs fois au cours de nos promenades comment elle était tombée amoureuse de ce pilote français de l'aéronavale. Mais elle ne lui avait plus jamais donné lieu de jalouser vraiment un autre homme depuis lors. Ce printemps-là, elle le rendait jaloux avec d'autres femmes et, au cours de leurs virées à Montmartre, il avait toujours peur de perdre ses esprits et qu'elle les perdît aussi. Leur meilleur moyen de défense avait consisté jusque-là à sombrer dans l'inconscience dès qu'ils avaient bu. Ils s'endormaient après avoir absorbé une quantité de vin ou de champagne qui n'aurait affecté aucun autre buveur aguerri, et leur sommeil était alors comme celui d'un enfant. Je les avais vus perdre connaissance non pas comme s'ils étaient ivres mais anesthésiés, et quelque ami, ou parfois un chauffeur de taxi, les mettait au lit et quand ils s'éveillaient ils se sentaient dispos et heureux car ils n'avaient pas ingurgité assez d'alcool pour que cela leur fût nuisible, avant de sombrer dans l'inconscience.

Mais ils avaient perdu ce moyen de défense naturelle. Déjà, Zelda pouvait boire plus que Scott et celui-ci redoutait ce qui pouvait arriver si elle perdait ses esprits en compagnie des amis qu'ils avaient ce printemps-là, et dans les endroits qu'ils fréquentaient. Scott n'aimait ni ces gens ni ces lieux, et il lui fallait boire plus qu'il ne pouvait le faire, sans perdre ses esprits, pour supporter les gens et les lieux, et il commença à avoir besoin de boire pour rester lucide bien après le moment où il aurait normalement dû perdre connaissance. Et finalement il ne travaillait plus que très rarement.

Il cherchait toujours à travailler cependant. Chaque jour il s'y efforçait et il échouait. Il accusait Paris de son échec — la ville pourtant la mieux faite pour permettre à un écrivain d'écrire — et il rêvait d'un endroit où Zelda et lui pourraient être heureux ensemble, de nouveau. Il pensait à la Côte d'Azur, telle qu'elle était alors, avant qu'elle ne se couvrît de constructions, avec ses jolies plages de sable et ses étendues de mer bleue, et ses bois de pins, et les montagnes de l'Esterel descendant jusque dans la mer. Il se rappelait comment Zelda et lui l'avaient vue pour la première fois, avant l'arrivée des estivants.

Scott me parla de la Côte d'Azur et me dit que ma femme et moi devrions y aller l'été suivant, et comment y aller, et comment il trouverait à nous loger économiquement, et que nous allions travailler dur tous les deux, chaque jour, et nager et dormir sur la plage et nous bronzer et ne boire qu'un seul apéritif avant le déjeuner et avant le dîner. Zelda serait heureuse, disait-il. Elle adorait nager, et plongeait merveilleusement, et elle aimait ce genre de vie et elle l'encouragerait à travailler et tout rentrerait dans l'ordre. Lui et Zelda et leur fille s'y rendraient l'été suivant.

J'essayai de lui faire écrire ses contes de son mieux, sans qu'il les truquât par un procédé quelconque, comme il m'avait expliqué qu'il le faisait.

« Tu as écrit un beau roman, maintenant, lui disais-je. Tu n'as plus le droit de produire de la camelote.

— Le roman ne se vend pas, disait-il. Il faut que j'écrive des nouvelles, et des nouvelles qui se vendent.

— Écris une nouvelle de ton mieux, et écris-la aussi simplement que tu peux.

— Je vais essayer », dit-il.

Mais, du train où allaient les choses, il lui fallait s'estimer heureux s'il pouvait écrire quoi que ce fût et n'importe comment. Zelda n'aguichait pas les gens qui la convoitaient et n'en avait que faire, disait-elle. Mais cela l'amusait et rendait Scott jaloux et ainsi il était obligé de sortir avec elle. En outre cela nuisait à son travail qu'elle jalousait par-dessus tout.

Tout au long de ce printemps et au début de l'été, Scott s'efforça de travailler, mais il n'y parvint que par à-coups. Quand je le voyais, il était toujours gai, parfois désespérément gai, et il faisait de bonnes plaisanteries et c'était un bon compagnon. Quand il traversait de très mauvais moments, je l'écoutais me parler de ses difficultés et j'essayais de lui faire comprendre que s'il voulait s'accrocher, il pourrait écrire, car il était fait pour écrire, et que seule la mort était irrévocable. Il se mettait alors à ironiser sur son propre compte et je pensais qu'il n'y aurait pas péril en la demeure tant qu'il pourrait se moquer ainsi de lui-même. Entre-temps, il avait écrit une très bonne nouvelle, *Le Garçon riche*, et j'étais sûr qu'il pourrait faire encore mieux, ce en quoi je ne me trompais pas.

Cet été-là, nous allâmes en Espagne et je commençai le premier brouillon d'un roman que je terminai une fois rentré à Paris, en septembre. Scott avait passé l'été avec Zelda au cap d'Antibes et, l'automne suivant, quand je le vis à Paris, il avait beaucoup changé. Il n'avait pas dessaoulé de tout l'été, sur la Côte, et maintenant il était ivre aussi bien le jour que la nuit. Il se moquait désormais du travail de qui que ce fût, et se présentait au 113 rue Notre-Dame-des-Champs à n'importe quel moment du jour ou de la nuit, quand il était ivre. Il commençait à se montrer très grossier envers ses inférieurs ou ceux qu'il tenait pour ses inférieurs.

Un jour, il se présenta à la porte de la scierie avec sa petite fille — c'était le jour de sortie de la gouvernante anglaise et Scott s'occupait de l'enfant — et, au pied de l'escalier, elle lui dit qu'elle avait besoin d'aller aux cabinets. Scott commença à la déculotter, et la propriétaire, qui habitait l'étage au-dessous du nôtre, vint lui dire :

« Monsieur, il y a un *cabinet de toilette*, juste devant vous, à gauche de l'escalier.

— Eh bien, je vais vous y fourrer le nez, si vous n'y prenez garde », lui dit Scott.

Tous rapports avec lui étaient devenus très difficiles cet automne, mais il avait commencé à travailler à un roman, entre deux vins. Je le voyais rarement quand il n'avait pas bu, mais, à ces moments-là, sa compagnie était toujours agréable et il plaisantait encore et parfois à ses propres dépens. Mais quand il avait bu il venait généralement me voir et, dans son ivresse, il prenait presque autant de plaisir à interrompre mon travail que Zelda à l'empêcher de travailler. Il en fut ainsi pendant des années, mais pendant ces années-là je n'eus pas d'ami plus loyal que Scott quand il était à jeun.

Au cours de cet automne 1925, il était troublé parce que je ne voulais pas lui montrer le manuscrit du *Soleil se lève aussi*. Je lui avais expliqué que le texte ne signifiait rien tant que je ne l'avais pas revu et récrit et que je ne voulais encore en parler ni le montrer à personne. Nous projetions d'aller à Schruns, dans le Vorarlberg autrichien, dès la première chute de neige.

Je récrivis la première moitié du manuscrit là-bas, et terminai ce travail en janvier, je crois. Je l'emportai à New York pour le montrer à Max Perkins, chez Scribners, et rentrai à Schruns pour y récrire la fin. Scott ne vit pas le livre avant que le manuscrit entièrement récrit et élagué eût été envoyé à Scribners vers la fin d'avril. Je me rappelle en avoir plaisanté avec lui, alors qu'il était au contraire préoccupé et soucieux de m'aider, comme toujours, une fois que la chose était faite. Mais je n'avais pas eu besoin de son aide pour récrire mon livre.

Pendant que nous vivions dans le Vorarlberg et que je finissais ce travail, Scott et sa femme, et l'enfant, avaient quitté Paris pour une ville d'eaux dans les Basses-Pyrénées. Zelda avait souffert des troubles intestinaux qu'entraîne souvent l'abus du champagne et que l'on appelait alors une colite. Scott ne buvait pas et se remettait au travail et il nous demandait de descendre à Juan-les-Pins en juin. Ils nous trouveraient quelque villa économique et, cette fois, il ne boirait pas, et tout serait comme dans le bon vieux temps et nous pourrions nager et être forts et bronzés, et prendre un seul apéritif avant le déjeuner et avant le dîner. La santé de Zelda était rétablie et tous deux étaient en forme, et le roman avançait à merveille. Il avait touché de l'argent pour l'adaptation théâtrale de *Gatsby le Magnifique* qui marchait bien, et il pensait vendre les droits d'adaptation cinématographique, et n'avait aucun souci. Zelda était vraiment en bonne santé, et tout allait rentrer dans l'ordre.

J'étais allé à Madrid, en mai, pour travailler, et je pris le train de Bayonne à Juan-les-Pins, en troisième classe, très affamé parce que je m'étais stupidement démuni d'argent et que je n'avais rien mangé depuis mon passage à Hendaye, à la frontière franco-espagnole. La villa était charmante, et Scott avait une fort belle maison, pas très loin, et je fus très heureux de revoir ma femme, qui tenait la villa admirablement, et nos amis, et je trouvai bon goût à l'unique apéritif que nous devions prendre avant le déjeuner, et il y en eut d'autres. Cette nuit-là, une soirée de bienvenue avait été organisée en notre honneur au Casino, une toute petite soirée, avec les MacLeish, les Murphy, les Fitzgerald et nous, déjà installés dans notre villa. Personne ne but rien de plus fort que du champagne et tout était très gai et l'endroit propice au travail d'un écrivain. On y pouvait trouver tout ce dont un homme a besoin pour écrire, à la solitude près.

Zelda était très belle et son hâle avait de jolies tonalités dorées, et ses cheveux étaient d'un merveilleux or sombre, et elle se montrait très cordiale. Ses yeux de faucon étaient clairs et paisibles. Je compris que tout allait bien et irait bien, quand, vers la fin de la soirée, elle se pencha en avant pour me parler et me confier son grand secret : « Ernest, ne pensez-vous pas qu'Al Jolson est plus grand que Jésus ? »

Personne n'en pensait rien alors. C'était seulement le secret de Zelda, qu'elle partagea avec moi, comme un faucon partagerait quelque chose avec un homme. Mais les faucons ne partagent pas. Scott n'écrivit plus rien de bon jusqu'au moment où il sut qu'elle était folle.

Une question de taille

Bien plus tard, après que Zelda eut traversé ce qu'on appela alors sa première dépression nerveuse, il arriva que nous nous trouvions à Paris au même moment, et Scott m'invita à déjeuner chez Michaud, au coin de la rue Jacob et de la rue des Saints-Pères. Il me dit qu'il avait une question très grave à me poser, que c'était ce qui lui importait le plus au monde et que je devais lui donner une réponse absolument sincère. Je dis que je ferais de mon mieux. Lorsqu'il me demandait une réponse absolument sincère — chose fort difficile à fournir — et que j'essayais d'être franc, il se fâchait, et souvent ce n'était pas au moment où j'avais donné ma réponse, mais plus tard, et parfois longtemps après, quand il l'avait bien ruminée. Il aurait voulu alors pouvoir anéantir les mots que j'avais prononcés et parfois m'anéantir moi aussi par la même occasion.

Il but du vin au cours du repas, et n'en fut pas affecté, car il ne s'était pas préparé au déjeuner par des libations antérieures. Nous parlions de notre travail et des gens, et il me demanda des nouvelles de ceux que nous n'avions pas vus depuis un certain temps. J'appris qu'il était en train d'écrire un bon livre et qu'il avait de grands problèmes à résoudre à ce propos, pour beaucoup de raisons, mais que ce n'était pas de cela qu'il voulait me parler. J'attendais toujours de savoir à quelle question je devais faire une réponse absolument sincère ; mais il n'en souffla mot avant la fin du repas, comme si nous faisions un déjeuner d'affaires.

Finalement, alors que nous mangions la tarte aux cerises, et buvions une dernière carafe de vin, il dit :

« Tu sais que je n'ai jamais couché avec personne d'autre que Zelda.

— Je ne savais pas.

— Je croyais te l'avoir dit.

— Non. Tu m'as dit des tas de choses, mais pas ça.

— C'est à ce propos que je dois te poser une question.

— Bon. Vas-y.

— Zelda m'a dit qu'étant donné la façon dont je suis bâti je ne pourrais jamais rendre aucune femme heureuse, et que c'était cela qui l'avait inquiétée au début. Elle m'a dit que c'était une question de taille. Je ne me suis plus jamais senti le même depuis qu'elle m'a dit ça et je voudrais savoir vraiment ce qu'il en est.

— Passons aux cabinets, dis-je.

— Le cabinet de qui ?

— Le *water* », dis-je.

Nous revînmes nous asseoir dans la salle, à notre table.

« Tu es tout à fait normal, dis-je. Tu es très bien. Tu n'as rien à te reprocher. Quand tu te regardes de haut en bas, tu te vois en raccourci. Va au Louvre et regarde les statues, puis rentre chez toi, et regarde-toi de profil dans le miroir.

— Ces statues ne sont peut-être pas à la bonne dimension.

— Elles font le poids. Bien des gens pourraient les envier.

— Mais pourquoi a-t-elle dit ça ?

— Pour te rendre incapable d'initiative. C'est le plus vieux moyen du monde pour rendre un homme incapable d'initiative. Scott, tu m'as demandé de te donner une réponse absolument sincère et je pourrais t'en dire plus long encore, mais je t'ai dit la vérité absolue et c'est ce qu'il te faut. Tu aurais pu aller consulter un médecin.

— Je n'ai pas voulu. Je voulais que tu me dises la vérité.

— Est-ce que tu me crois maintenant ?

— Je ne sais pas, dit-il.

— Allons au Louvre, dis-je. C'est juste au bas de la rue, de l'autre côté de l'eau. »

Nous allâmes au Louvre et il examina les statues, mais il avait encore des doutes.

« Au fond, ce n'est pas une question de taille au repos, dis-je. Cela dépend aussi des dimensions qu'il prend. C'est aussi une question d'angle. » Je lui expliquai comment se servir d'un oreiller et un certain nombre d'autres choses utiles à savoir.

« Il y a une fille qui se montre très gentille pour moi, dit-il, mais après ce que Zelda m'a dit…

— Oublie ce que Zelda t'a dit, dis-je. Zelda est folle. Tu es tout à fait normal. Aie confiance, et donne à cette fille ce qu'elle attend de toi. Zelda ne cherche qu'à te détruire.

— Tu ne connais pas Zelda.

— Très bien, dis-je. N'en parlons plus. Mais tu m'as invité à déjeuner pour me poser une question et je t'ai répondu en toute franchise. »

Mais il avait toujours des doutes.

« On va voir quelques tableaux ? demandai-je. As-tu jamais vu un tableau ici, à part *La Joconde* ?

— Je n'ai pas envie de voir des tableaux aujourd'hui, dit-il, et j'ai rendez-vous avec des gens, au bar du Ritz. »

Bien des années plus tard, au bar du Ritz, longtemps après la fin de la Seconde Guerre mondiale, Georges, qui est maintenant le barman en chef et qui était *chasseur* au temps où Scott vivait à Paris, me demanda :

« Papa, qui était ce Mr Fitzgerald dont tout le monde veut me faire parler ?

— Vous ne l'avez pas connu ?

— Non. Je me rappelle tous les gens de cette

époque-là, mais on ne me pose plus de questions que sur lui maintenant.

— Qu'est-ce que vous répondez ?

— Tout ce que les gens trouvent intéressant à entendre. Ce qui leur fait plaisir. Mais dites-moi qui c'était.

— C'était un écrivain américain, très connu au début des années vingt et plus tard aussi, il a vécu quelque temps à Paris et à l'étranger.

— Mais comment ai-je pu l'oublier ? C'était un bon écrivain ?

— Il a écrit deux très bons livres et un autre qu'il n'a pas terminé mais qui aurait été très bon, au dire de ceux qui connaissent le mieux son œuvre. Il a écrit aussi quelques nouvelles excellentes.

— Est-ce qu'il fréquentait beaucoup le bar ?

— Je crois.

— Mais vous ne veniez pas ici, au début des années vingt. Je sais que vous étiez pauvre et que vous habitiez un autre quartier.

— Quand j'avais de l'argent, j'allais au Crillon.

— Je sais cela aussi. Je me rappelle très bien quand je vous ai vu pour la première fois.

— Moi aussi.

— C'est drôle que je n'aie aucun souvenir de lui, dit Georges.

— Tous ces gens sont morts.

— On n'oublie quand même pas les gens parce qu'ils sont morts et on me pose beaucoup de questions sur lui. Il faut que vous me racontiez quelque chose sur lui, pour mes Mémoires.

— D'accord.

— Je me rappelle comment vous êtes arrivés ici, une nuit, avec le baron von Blixen ; en quelle année était-ce… ? (Il sourit.)

— Il est mort, lui aussi.

— Oui, mais on ne l'oublie pas : vous voyez ce que je veux dire ?

— Sa première femme écrivait merveilleusement bien, dis-je. Elle a écrit le meilleur livre, peut-être, que j'aie jamais lu, sur l'Afrique. Excepté le livre de sir Samuel Baker sur les affluents du Nil en Abyssinie. Mettez ça dans vos Mémoires. Puisque vous vous intéressez aux écrivains à présent.

— Bon, dit Georges. Le baron n'était pas un homme qu'on oublie. Quel est le titre du livre ?

— *La Ferme africaine*, dis-je. Blickie était toujours très fier des œuvres de sa première femme. Mais nous nous connaissions déjà bien avant qu'elle n'ait écrit ce livre.

— Mais ce Mr Fitzgerald sur qui on me pose toujours des questions ?

— C'était du temps de Frank.

— Oui, mais j'étais *chasseur*. Vous savez ce que c'est qu'un *chasseur*.

— Je mettrai quelque chose sur lui dans un livre que j'écrirai sur mes premières années à Paris. Je me suis promis d'écrire ce livre.

— Bon, dit Georges.

— Je le décrirai exactement comme je me le rappelle, la première fois que je l'ai vu.

— Bon, dit Georges. Comme ça, s'il est venu ici, ça me rafraîchira la mémoire. Après tout, on n'oublie pas les gens comme ça.

— Et les touristes ?

— Bien sûr. Mais vous disiez qu'il venait ici très souvent ?

— Très souvent, pour un homme comme lui.

— Vous écrivez quelque chose sur lui, d'après vos souvenirs, et s'il venait ici, ça me le remettra en mémoire.

— On verra bien », dis-je.

AUTRES VIGNETTES PARISIENNES

Naissance d'une nouvelle école

Un cahier à couverture bleue, deux crayons et un taille-crayon (un canif faisait trop de dégâts), des tables à plateaux de marbre, le parfum du petit matin, beaucoup de sueur et un mouchoir pour l'éponger, et de la chance, voilà tout ce qu'il vous fallait. Quant à la chance, un marron d'Inde et une patte de lapin dans votre poche droite y pourvoyaient. La patte de lapin avait perdu son poil depuis longtemps et les os et les tendons étaient polis par l'usage. Les griffes se plantaient dans la doublure de votre poche pour vous rappeler que la chance était toujours avec vous.

Certains jours, tout allait si bien que vous pouviez décrire un paysage avec assez de précision pour vous y promener à travers la forêt, déboucher dans une clairière, grimper sur le plateau et voir les collines derrière le bras du lac. Une mine de crayon se cassait parfois dans le cône du taille-crayon, vous utilisiez alors la lame la plus fine du canif pour dégager la pointe ou même vous tailliez le crayon avec la lame la plus forte, puis vous glissiez votre bras dans les courroies de cuir du sac à dos, auxquelles votre sueur avait donné un goût de sel et vous hissiez le sac sur une épaule avant de passer l'autre bras dans la seconde courroie et de sentir le poids du paquetage bien en place sur votre dos, et vous sentiez les aiguilles de pin sous vos mocassins avant de commencer à redescendre vers le lac.

À ce moment, vous entendiez quelqu'un dire : « Salut, Hem. Qu'est-ce que tu fais là ? Tu écris au café, maintenant ? »

La chance vous avait abandonné et vous refermiez votre cahier. C'était bien le pire de tout ce qui pouvait vous arriver. Si vous parveniez à vous contrôler, cela valait mieux, mais je n'y excellais pas et disais :

« Espèce de fils de pute, qu'est-ce que tu fous si loin de ton sale trottoir ?

— Ne m'insulte pas, sous prétexte que tu veux te conduire comme un excentrique.

— Bon, va-t'en baver ailleurs.

— Ce café est ouvert au public. J'ai le droit de m'y trouver, tout autant que toi.

— Pourquoi ne retournes-tu pas à ta Petite Chaumière favorite ?

— Bon sang ! Arrête de me casser les pieds. »

Il ne vous restait plus qu'à plier bagage en espérant que la visite était accidentelle et que le visiteur était entré par hasard, et qu'il n'y avait pas de contagion à redouter. Il y avait d'autres bons cafés propices au travail, mais ils étaient éloignés, et celui-ci était mon café à moi. Il me semblait dur d'être chassé de La Closerie des Lilas. Il me fallait résister sur place ou battre en retraite. Partir eût été probablement sage, mais la colère commençait à me gagner et je dis :

« Écoute, un salaud comme toi a des tas d'endroits où aller. Pourquoi venir ternir la réputation d'un honnête café ?

— Je suis juste entré pour prendre un verre. Je ne fais rien de mal.

— Chez nous, après t'avoir servi, on casserait le verre.

— C'est où, "chez nous" ? Ça a l'air d'un endroit bien agréable. »

Il avait pris place à la table voisine ; c'était un grand jeune homme gras avec des lunettes. Il avait commandé une bière. Je pensais que je pourrais ignorer sa présence, et essayer de continuer à écrire. Je l'ignorai donc et écrivis encore deux phrases.

« Je n'ai fait que t'adresser la parole. »

Je poursuivis et écrivis encore une phrase. Quand ça va vraiment bien et que vous êtes en plein dedans, c'est dur de s'arrêter.

« Je suppose que tu es devenu un si grand homme que personne n'a plus le droit de te parler. »

J'écrivis encore une phrase. C'était la fin du paragraphe, que je relus entièrement. Tout allait encore bien et j'écrivis la première phrase du paragraphe suivant.

« Tu ne penses jamais aux autres, ni aux problèmes qu'ils pourraient avoir, eux aussi. »

J'avais entendu des gens se plaindre pendant toute mon existence. Je pensai que je pourrais continuer à écrire, que ce bruit n'était pas pire que les autres et qu'il était préférable à celui que faisait Ezra en apprenant à jouer du basson.

« Suppose que tu veuilles être écrivain et que tu en ressentes même le besoin physique, et que ça ne vienne pas. »

Je continuai à écrire et commençai même à sentir la chance revenir avec le reste.

« Suppose que ce soit venu une fois, comme un torrent irrésistible, pour te laisser ensuite muet et silencieux. »

Mieux valait un muet silencieux qu'un muet bruyant, pensai-je, et je continuai à écrire. Il était lancé en pleine lamentation maintenant et le bruit de ses phrases effarantes était aussi apaisant que celui d'une planche violée par la scie.

« Et puis, il y a eu la Grèce », l'entendis-je dire plus tard. Je n'avais rien entendu de ce qu'il disait pendant un bon moment en dehors du son de sa voix. J'étais parvenu au bout de ma tâche maintenant. Je pouvais m'interrompre jusqu'au lendemain.

« Tu dis que tu en as trop ou que tu y es allé ?

— Ne sois pas vulgaire, dit-il. Tu ne veux pas entendre la suite ?

— Non », dis-je.

Je refermai le cahier et le mis dans ma poche.

« Tu ne veux pas savoir comment ça s'est terminé ?

— Non.

— Tu te moques de la vie et des souffrances de ton prochain ?

— Oui, si c'est toi.

— Tu es répugnant.

— Oui.

— Je pensais que tu pourrais m'aider, Hem.

— Je serais très heureux de te faire sauter la cervelle.

— Tu le ferais ?

— Non. C'est interdit par la loi.

— Moi, je ferais n'importe quoi pour toi.

— Vraiment ?

— Oui, vraiment.

— Eh bien, ne fous plus les pieds dans ce café. Commence par ça. »

Je me levai. Le garçon arriva et je payai.

« Est-ce que je peux te raccompagner jusqu'à la scierie, Hem ?

— Non.

— Bon. On se reverra.

— Pas ici.

— C'est bon, dit-il. J'ai promis.

— Il faut que j'écrive.

— Même chose pour moi.

— Tu ne devrais pas écrire si tu n'en es pas capable. À quoi ça rime de geindre et de te lamenter ? Rentre en Amérique. Trouve du travail. Pends-toi. Mais abstiens-toi de le raconter. Tu ne pourras jamais écrire.

— Pourquoi me dis-tu ça ?

— Tu ne t'es jamais entendu parler ?

— Mais je parle d'écrire, en ce moment.

— Alors, tais-toi.

— Tu es vraiment cruel, dit-il. Tout le monde a toujours dit que tu étais cruel, et sans cœur et vaniteux. Je t'ai toujours défendu, mais c'est fini.

— Bien.

— Comment peux-tu être aussi cruel envers ton prochain ?

— Je ne sais pas, dis-je. Écoute, si tu ne peux pas écrire, pourquoi ne pas te faire critique littéraire ?

— Tu crois que je devrais ?

— Ce serait bien, lui expliquai-je. Ainsi tu pourras toujours écrire. Tu ne craindras plus de rester muet et silencieux. Les gens te liront et te respecteront.

— Tu crois que je pourrais être un bon critique ?

— Je ne sais pas si tu serais bon, mais tu serais un critique. Il y aura toujours une clique pour t'aider et tu pourras aider ceux de ta clique.

— Qu'est-ce que c'est, ceux de ma clique, d'après toi ?

— Les gens que tu fréquentes.

— Oh ! ceux-là, ils ont déjà leurs critiques.

— Tu n'as pas besoin de faire des critiques de livres, dis-je. Il y a la peinture, le théâtre, le ballet, le cinéma…

— Comme tu le présentes, ça paraît passionnant, Hem. Merci beaucoup. C'est très exaltant. Et puis, c'est un travail créateur.

— À mon avis, on surestime toujours la part de création. Après tout, Dieu a fait le monde en six jours et il s'est reposé le septième jour.

— Et puis, rien ne s'opposera à ce que je fasse au plus un travail de création.

— Rien, effectivement. Sauf que tu risques de t'imposer des critères trop ambitieux.

— Ambitieux, ils le seront, tu peux en être sûr.

— Je n'en doute pas. »

Il était déjà dans la peau d'un critique, de sorte que je l'invitai à prendre un verre. Il accepta.

« Hem, dit-il (et je compris qu'il était désormais devenu un vrai critique, car ces gens-là placent votre nom au début de leurs phrases plutôt qu'à la fin), je dois te dire qu'à mon avis ton œuvre manque un tout petit peu de souplesse.

— Tant pis, dis-je.

— Hem, c'est trop dépouillé, trop décharné.

— Pas de veine.

— Hem, c'est trop rigide, trop dépouillé, trop décharné ; on n'y voit plus que les os et les tendons. »

Je tâtai la patte de lapin dans ma poche, avec un sentiment de culpabilité.

« Je vais tâcher d'y mettre un peu de chair.

— Je ne demande pas non plus un texte obèse, remarque bien.

— Harold, dis-je, m'exerçant moi aussi au style des critiques, j'essaierai d'éviter ça, autant que je pourrai.

— Heureux de voir que nous sommes du même avis, dit-il vaillamment.

— Rappelle-toi que tu ne dois pas venir ici pendant que je travaille.

— Naturellement, Hem. Bien sûr. J'aurai mon propre café, désormais.

— Tu es bien aimable.

— Je fais ce que je peux », dit-il.

Il eût été intéressant et instructif de voir ce jeune homme devenir un critique célèbre, mais il n'en fut pas ainsi, malgré les espoirs que j'avais nourris à son sujet pendant un certain temps.

AUTRE FIN POSSIBLE*

Je ne pensais pas qu'il reviendrait. Il n'avait pas pour habitude de fréquenter La Closerie des Lilas, sans doute était-il entré parce qu'il m'avait vu travailler en passant. Ou peut-être voulait-il simplement téléphoner. Je ne l'aurais pas remarqué, si j'avais été plongé dans mon travail. Pauvre type, me dis-je, mais je crois que si je m'étais montré poli ou tout simplement correct avec lui, les choses auraient été encore pires. Un jour ou l'autre, il faudrait probablement que je le frappe, mais je choisirais l'endroit : pas question de le tabasser dans le café qui me tenait lieu de second chez moi, pour qu'après tous les autres rappliquent pour voir le lieu du crime. Oui, un jour ou l'autre, il faudrait qu'il y passe, mais il fallait que je fasse attention de ne pas lui fracturer la mâchoire. Oh, et puis merde pour la mâchoire, non, ce à quoi il fallait que je veille surtout, c'était à ce que sa tête ne heurte pas le trottoir. C'est ce que l'on ne devait jamais perdre de vue. Débrouille-toi, me dis-je, pour rester à l'écart de ce pauvre type. Arrête un peu de ne penser qu'à calmer les gens. Finalement, tu as travaillé comme tu voulais. Il ne t'a rien fait. Si tu le croises et qu'il te bassine, contente-toi de lui dire d'aller se faire voir. Tu as été suffisamment moche avec lui comme ça. Mais qu'est-ce que tu pouvais faire d'autre ?

Après tout, c'était votre faute si quelqu'un venait interrompre votre travail au café, en l'occurrence, un café idéal pour travailler, et qui n'était fréquenté par aucune de vos connaissances. La Closerie des Lilas était un endroit tellement agréable pour écrire, et tellement commode aussi, que ça valait la peine de courir le risque d'être dérangé. C'est vrai que, normalement, après une séance de travail on devrait se sentir propre, et non sali. C'est vrai aussi qu'il n'était pas bon d'avoir à se montrer brutal. Mais l'important, somme toute, c'était que le lendemain tout marche bien.

Aussi, le lendemain matin, je me levai tôt, fis bouillir les tétines en caoutchouc et les biberons, préparai le mélange, remplis un biberon que je donnai à Mr Bumby, et travaillai sur la table de la salle à manger avant que quiconque fût réveillé, sauf lui, F. Minet (le chat), et moi. Tous deux étaient silencieux et de bonne compagnie et je travaillai mieux que je ne l'avais jamais fait. En ce temps-là, vous n'aviez vraiment pas besoin de grand-chose et même la patte de lapin était superflue. Mais il était réconfortant de la sentir dans votre poche.

Ezra Pound et son Bel Esprit

Ezra était l'écrivain le plus généreux que j'aie connu, et le plus désintéressé. Il aidait les poètes, les peintres, les sculpteurs et les prosateurs en qui il avait foi et il aurait aidé quiconque avait besoin de lui, avec ou sans foi. Il se faisait du souci pour tout le monde et, au moment où je fis sa connaissance, il se tourmentait surtout pour T. S. Eliot, qui, selon Ezra, devait travailler dans une banque, à Londres, et avait des horaires si pénibles et si peu de temps à consacrer à la poésie.

Ezra fonda alors quelque chose qui s'intitula « Bel Esprit », en collaboration avec Miss Natalie Barney, riche Américaine qui jouait les mécènes. Miss Barney avait été liée à Remy de Gourmont, mais c'était avant mon époque, et elle tenait salon chez elle, à dates fixes. Elle avait aussi un petit temple grec dans son jardin. Bien des Françaises et des Américaines suffisamment riches avaient leurs salons et j'avais compris très vite que c'étaient là des endroits à éviter soigneusement, mais Miss Barney était la seule, je pense, à posséder un petit temple grec dans son jardin.

Ezra me montra la brochure qu'il avait préparée pour Bel Esprit et dans laquelle Miss Barney l'avait autorisé à utiliser le temple grec. Le but de Bel Esprit était de nous inciter à verser une petite partie de nos revenus respectifs pour créer un fonds qui permettrait à Mr Eliot de quitter la banque et d'écrire des vers, sans soucis matériels. L'idée me semblait bonne, et, selon Ezra, une fois que nous aurions arraché Mr Eliot à sa banque, le fonds nous permettrait de tirer tout le monde d'affaire.

J'embrouillais un peu les choses en appelant toujours Eliot : Major Eliot, et en prétendant le confondre avec un certain Major Douglas, un économiste dont les idées avaient séduit Ezra. Mais ce dernier savait que j'avais le cœur bien placé et que j'étais plein de Bel Esprit : ce qui l'ennuyait c'était de me voir solliciter des fonds auprès de mes amis pour permettre au Major Eliot de quitter la banque, de sorte qu'il se trouvait toujours quelqu'un pour demander ce qu'un Major faisait dans une banque et s'il avait été chassé de l'armée sans pension ni avantage social.

Dans ces cas-là, j'expliquais à mes amis que cela ne faisait rien à l'affaire. Ou bien vous aviez le Bel Esprit ou bien vous ne l'aviez pas. Si vous l'aviez, vous cotiseriez pour arracher le Major à sa banque. Sinon, tant pis. Ne comprenaient-ils pas la signification du petit temple grec ? Non ? Tant pis, mon vieux. Gardez votre argent. Nous n'en voulons pas.

En tant que membre de Bel Esprit, je menais une campagne énergique et mon rêve le plus cher était de voir le Major hors de sa banque et rendu à la liberté. Je ne me rappelle plus comment sombra Bel Esprit mais je crois que l'occasion en fut la publication de *La Terre vaine* et l'attribution du prix du *Dial* au Major. Peu après, une dame titrée finança une revue nommée *The Criterion* pour la confier à Eliot et ainsi ni Ezra ni moi n'avions plus de souci à nous faire à son sujet. Le petit temple grec doit être encore dans le jardin. J'ai toujours regretté que nous n'ayons pu tirer le Major de sa banque grâce au seul secours de Bel Esprit, comme je l'avais rêvé, imaginant même qu'il habiterait, peut-être, le petit temple grec où Ezra et moi irions à l'occasion le surprendre pour le couronner de lauriers. Je savais où je pourrais trouver du très beau laurier, moyennant une petite excursion à bicyclette, et je pensais que nous le couronnerions chaque fois qu'il se sentirait solitaire, ou qu'Ezra aurait achevé de lire le manuscrit ou les épreuves d'un nouveau poème de grande envergure, comme *La Terre vaine.* Tout cela eut pour moi des conséquences désastreuses du point de vue moral, comme cela m'arrive si fréquemment, car l'argent que je pensais utiliser pour arracher le Major à sa banque, je le jouai à Enghien sur des chevaux dopés. Deux jours de suite, les chevaux dopés sur lesquels je misais l'emportèrent sur leurs concurrents qui n'avaient pas été dopés ou peut-être pas suffisamment, sauf dans une course où mon favori avait été exagérément drogué de sorte qu'il désarçonna son jockey avant le départ, fit un tour de piste complet en sautant les obstacles comme on ne les voit sauter qu'en rêve, avant d'être repris en main, ramené à la ligne de départ et rendu à son cavalier. Il n'en fit pas moins une course honorable, selon la formule des turfistes français, mais ne rapporta rien.

Je me serais senti plus satisfait si cet argent avait conservé son affectation première. Mais je me consolai en pensant qu'avec les bénéfices réalisés aux courses j'aurais pu consacrer à Bel Esprit une somme supérieure à celle que je lui destinais initialement. Mais c'est finalement bien tombé puisque nous avons utilisé l'argent pour aller en Espagne.

VIGNETTES INÉDITES

Écrire à la première personne

Si vous donnez aux histoires que vous écrivez à la première personne une vraisemblance telle que les gens finissent par y croire, le lecteur pensera presque forcément qu'elles vous sont effectivement arrivées. Ce qui est tout à fait naturel puisque, au moment où vous les inventez, il faut bien que vous donniez l'impression qu'elles sont arrivées à celui qui les raconte. Si votre entreprise est réussie, vous amenez celui qui les lit à croire que ces choses-là lui sont également arrivées à lui. Le but que vous vous êtes assigné est atteint, ou peu s'en faut : créer quelque chose susceptible d'imprégner l'expérience et la mémoire de votre lecteur. Il y aura forcément des éléments qui lui auront échappé à la lecture de l'histoire ou du roman, mais qui, à son insu, vont informer sa mémoire et son expérience pour devenir partie intégrante de son existence. La tâche est cependant loin d'être facile.

Ce qu'il est, sinon facile, du moins toujours possible de faire, pour ceux qui appartiennent à l'école des détectives privés de la critique littéraire, c'est de prouver que l'écrivain qui écrit ses récits à la première personne n'a matériellement pas pu faire tout ce qu'accomplit son narrateur, voire n'en a rien fait du tout. Quelle importance ? Qu'est-ce que cela prouve, sinon que l'écrivain n'est dénué ni d'imagination ni d'inventivité, j'avoue ne l'avoir jamais compris.

À mes débuts dans la carrière, au temps de mes années parisiennes, j'inventais non seulement en puisant dans ma propre expérience, mais en puisant dans l'expérience et le vécu de mes amis et de tous les gens que j'avais connus ou croisés dans ma vie jusqu'alors, et qui n'étaient pas des écrivains. Mes meilleurs amis n'exerçaient pas ce métier et j'ai toujours eu la chance de fréquenter nombre de gens intelligents capables de bien s'exprimer. En Italie, pendant la guerre, pour une chose qui m'était effectivement arrivée ou dont j'avais pu être le témoin direct, j'en connaissais des centaines vécues par d'autres à tous les stades de la guerre. Mon expérience personnelle, si minime qu'elle ait été, me fournissait l'aune à laquelle mesurer la vérité ou le mensonge des histoires des autres, et le fait d'avoir été blessé était pour moi un véritable sésame. Après la guerre, j'ai passé beaucoup de temps dans le 19e district de Chicago, ainsi que dans d'autres quartiers italiens de la ville, avec un ami italien que j'avais rencontré à Milan, à l'hôpital. C'était un jeune officier à l'époque, et il avait été gravement blessé à plusieurs reprises. Il était parti de Seattle, si je me souviens bien, pour aller rendre visite à de la famille, et quand l'Italie était entrée en guerre il s'était engagé comme volontaire. Nous étions d'excellents amis, et lui était un merveilleux conteur.

C'est en Italie aussi que j'ai connu beaucoup de gens dans l'armée britannique et son service ambulancier. Je leur suis redevable d'une grande partie de ce dont je me suis inspiré plus tard pour mes histoires. Pendant des années, mon meilleur ami a été un jeune militaire de carrière britannique qui, à peine sorti de l'académie de Sandhurst, avait été envoyé à Mons en 1914 et avait servi avec ses troupes jusqu'à la fin de la guerre en 1918.

Plaisirs secrets

Tant que j'ai travaillé comme journaliste ou comme envoyé spécial dans différentes parties de l'Europe, il fallait absolument que j'aie un costume présentable, une paire de chaussures convenable et les cheveux coupés. Autant d'éléments qui constituaient un handicap à l'époque de ma période d'apprentissage de l'écriture, parce qu'ils me permettaient de quitter ma rive du fleuve, pour passer sur la rive droite et y retrouver mes amis, aller aux courses et m'adonner à toutes ces distractions que je ne pouvais pas vraiment me payer ou qui m'attiraient des ennuis. Je ne tardai pas à découvrir que le meilleur moyen d'éviter de franchir le fleuve et de me laisser embarquer dans toutes les activités agréables que je ne pouvais m'offrir et qui me laissaient avec, pour le moins, des regrets d'ordre gastrique, c'était de ne pas me faire couper les cheveux. On ne pouvait décemment pas se présenter rive droite les cheveux coupés à la manière de ces nobles japonais, peintres et amis d'Ezra, qui avaient tous une allure folle. La solution aurait pourtant été idéale, dans la mesure où, en vous forçant à ne jamais quitter votre côté du fleuve, elle vous aurait tenu à votre travail. L'intervalle entre deux missions n'était jamais suffisamment long pour que ce genre de crinière ait le temps de pousser, mais deux mois sans coiffeur suffisaient à vous donner l'allure d'un vestige de la guerre de Sécession, d'un individu tout à fait infréquentable. Au bout de trois mois, le stade où en étaient arrivés les merveilleux amis japonais d'Ezra était largement dépassé, et vos amis de la rive droite vous considéraient comme irrécupérable. Je n'ai jamais vraiment compris de quoi on était censé ne plus pouvoir être récupéré, mais ce qui est sûr c'est que, au bout de quatre ou cinq mois, on était plus irrécupérable que jamais. L'idée que j'étais jugé irrécupérable me plaisait bien, et ma femme et moi étions ravis de partager cette condition.

Il m'arrivait de tomber sur des correspondants étrangers de ma connaissance, qui s'encanaillaient dans ce qu'ils pensaient être le quartier Latin, et l'un d'eux me prenait alors à part et, sur un ton grave, me faisait la leçon.

« Fais attention à ne pas te laisser aller, Hem. Ça ne me regarde pas, bien sûr. Mais tu ne peux pas adopter les us et coutumes des autochtones comme ça. Pour l'amour du ciel, ressaisis-toi, et va au moins te faire couper les cheveux. »

Quand je devais aller couvrir une conférence

ou que j'étais envoyé en mission en Allemagne ou au Proche-Orient, il fallait bien que j'aille chez le coiffeur, que je porte mon unique costume présentable et mes chaussures anglaises, et, tôt ou tard, je croisais celui qui m'avait sermonné et qui me disait alors : « Ah, t'as l'air en pleine forme, mon vieux ! Fini les conneries de vie de bohème, à ce que je vois. T'as quelque chose de prévu pour ce soir ? Y a un endroit extra, vraiment unique, un peu plus loin que le restaurant Taxim's. »

Les gens qui se mêlaient de votre vie le faisaient toujours pour votre bien, et je finis par comprendre que ce qu'ils voulaient, c'était que l'on se conforme aveuglément à un code de valeurs superficiel sans jamais en dévier, et que l'on se divertisse à la manière d'un voyageur de commerce lors d'un congrès, autrement dit de la façon la plus bête et la plus ennuyeuse qui soit. Ces gens ne savaient rien de nos petits plaisirs, ni ne savaient à quel point il était drôle de se savoir irrécupérables, ils ne le sauraient ni maintenant ni jamais. Nos plaisirs, qui étaient ceux de deux amoureux, étaient aussi simples et pourtant aussi mystérieux et complexes qu'une formule mathématique qui peut signifier aussi bien un bonheur parfait que la fin du monde.

C'est le genre de bonheur qui ne supporte pas l'intrusion, mais presque toutes nos fréquentations d'alors tenaient à le bricoler. Une fois rentrés du Canada, où j'avais décidé que le journalisme c'était fini pour moi, dussé-je en crever, nous vécûmes comme des sauvages, n'observant plus que nos propres règles tribales, nos coutumes, fidèles à nos principes, nos tabous, nos petits plaisirs et nos secrets[1].

Nous étions désormais libres comme l'air à Paris, je n'avais plus à partir en mission.

« Et puis, fini de me faire couper les cheveux, dis-je, tandis que nous bavardions tous les deux à La Closerie des Lilas, assis à une table à l'intérieur, où il faisait chaud.

1. Le fragment suivant a été raturé : « Deux choses nous avaient soudés. La première, c'était la perte, en dehors de deux nouvelles et de quelques poèmes, de tout ce que j'avais écrit au cours des quatre dernières années. Je couvrais alors la conférence de Lausanne pour le compte du *Toronto Star* et de deux agences de presse, l'Internationale et l'Universelle. Avant Noël, je m'étais arrangé pour que quelqu'un me remplace auprès des agences, et j'avais écrit à Hadley de venir me rejoindre pour que nous allions skier ensemble pendant les vacances. La conférence avait été très intéressante et j'avais trimé dur, assurant un service vingt-quatre heures sur vingt-quatre pour le compte des deux agences, sous deux signatures : la mienne et celle d'un journaliste imaginaire du nom de John Hadley, censément un homme d'un certain âge et une incontestable autorité en matière de politique européenne. Ma dernière dépêche expédiée juste avant trois heures du matin, je laissais au bureau de la réception, avant d'aller me coucher, une consigne de réveil pour le matin.

Le matin où devait arriver le train de Hadley, je descendis pour aller la chercher à la gare, et le concierge me tendit un télégramme. Elle arrivait par un autre train, plus tard dans la journée. »

— Si c'est ce que tu veux, Tatie.

— J'avais commencé à les laisser pousser avant de quitter Toronto.

— C'est merveilleux. Ça fait déjà un mois.

— Six semaines.

— Crois-tu qu'on devrait s'offrir un chambéry-cassis pour fêter ça ?

— Tu aimeras quand même mes cheveux après ? lui dis-je, tout en commandant les cocktails.

— Oh, oui. Ce sera le symbole de notre libération de tout un tas d'horreurs. Dis-moi un peu à quoi ils vont ressembler.

— Tu te souviens des trois peintres japonais chez Ezra ?

— Oui, bien sûr, Tatie, ils étaient superbes, mais ça prendrait un temps fou.

— C'est des cheveux comme ça dont j'ai toujours rêvé.

— On peut essayer. Les tiens poussent très vite, tu sais.

— Je donnerais cher pour qu'ils soient à cette longueur dès demain.

— Tu n'as pas d'autre solution, Tatie, que d'attendre qu'ils poussent. Tu le sais bien. Et ça prend du temps. J'en suis désolée pour toi[1].

1. Le passage suivant a été supprimé : « À l'époque où nous passions l'hiver en Autriche, nous avions pour habitude de nous couper mutuellement les cheveux et de les laisser pousser à la même longueur. Châtains pour l'un,

— C'est pas de bol.

— Laisse-moi toucher.

— Là ?

— Ça pousse magnifiquement. Il te faut juste être patient.

— Bon, d'accord. Je vais essayer de ne plus y penser.

— Peut-être que si tu cesses d'y penser, ils pousseront plus vite. Je suis contente que tu aies commencé si tôt. »

Nous nous regardâmes, avant d'éclater de rire. Puis elle dit un de nos secrets.

« C'est exact.

— Tatie, j'ai pensé à quelque chose d'excitant.

— Quoi donc ?

— Je ne sais pas si je peux te le dire.

— Allez, dis-le-moi. S'il te plaît.

— Je me disais qu'ils pourraient peut-être devenir comme les miens.

— Mais les tiens vont continuer à pousser aussi.

— Non. Je vais les faire égaliser demain, et après j'attends que tu me rejoignes. Ce serait extra, non ?

— Oui, bien sûr.

roux foncé avec des reflets blonds pour l'autre. La nuit, dans l'obscurité froide, il y en avait souvent un qui réveillait l'autre en promenant sur les lèvres de l'autre les cheveux châtains ou roux à reflets dorés, dans la chaleur du lit. Si la lune brillait, on voyait la vapeur de son souffle dans l'air. »

— J'attends jusqu'à ce que nos cheveux soient de la même longueur.

— Tu crois que ça prendra combien de temps ?

— Quatre mois peut-être, pour qu'ils soient exactement pareils.

— Vraiment ?

— Oui, je pense.

— Encore quatre mois ?

— Je crois, oui. »

Un moment de silence, et elle me dit un secret ; je lui en dis un autre à mon tour.

« Les autres vont nous prendre pour des cinglés.

— Des pauvres malheureux, les autres, dit-elle. Ça va être follement drôle, Tatie.

— Ça va vraiment te plaire ?

— Je vais adorer. Mais il va falloir nous armer de patience. Le genre de patience qu'il faut avoir avec un jardin.

— Bon, je serai patient, ou du moins je vais essayer.

— Crois-tu que les autres prennent autant de plaisir à des choses aussi simples ?

— Ce n'est peut-être pas aussi simple qu'il y paraît.

— Tu crois ? Pousser, c'est naturel, il n'y a rien de plus simple.

— Je me fiche de savoir si c'est simple ou compliqué, ça me plaît, c'est tout.

— À moi aussi. On a beaucoup de chance, tu ne trouves pas ? Si seulement on pouvait aider un peu les choses, mais je ne vois pas comment on pourrait précipiter le mouvement.

— Crois-tu qu'on pourrait couper les miens tout le tour à la même longueur que les tiens ? Ce serait un début.

— Je peux te le faire, si tu veux. Ce serait plus simple que de le demander à un coiffeur. Mais il faudrait que tout le reste pousse à la même longueur, Tatie. En partant du devant, jusqu'en bas derrière. Comme nous le voulons. C'est ça qui prend du temps.

— C'est vraiment pas de bol que ce soit aussi long.

— Je vais voir ce qu'on peut faire. Mais ça fait déjà six semaines qu'ils poussent, et ils continuent en ce moment même, dans ce café. Et ce soir, ils auront encore poussé.

— C'est sûr.

— Je vais réfléchir. »

Le lendemain, quand elle rentra de chez le coiffeur, elle avait les cheveux coupés juste au-dessous des oreilles, si bien qu'ils lui arrivaient sous les joues et se balançaient contre sa nuque. Elle se tourna, et, derrière, ils étaient à peu près à deux centimètre au-dessus du col de son pull. Ils venaient d'être lavés et avaient l'éclat de l'or brun.

« Viens toucher là-derrière», dit-elle.

Je lui passai un bras autour de la taille et perçus les battements de nos cœurs à travers les pulls. Puis je levai une main et sentis sa nuque lisse et ses cheveux épais sous mes doigts qui tremblaient.

« Secoue-les, n'aie pas peur, dit-elle.

— Attends », dis-je.

Puis elle dit encore : « Vas-y maintenant, caresse-les, en les lissant fort. Tu sens ? »

Je laissai ma main peser sur la masse soyeuse et la nuque dure et lui dis un secret.

« Plus tard, dit-elle.

— Ah, toi, dis-je. Toi. »

Plus tard, nous bavardions, et elle me dit : « Je t'avais bien dit que je réfléchirais et, tu vois, j'ai fait quelque chose de concret, Tatie. Ils sont plus courts de deux bons centimètres. Tu ne l'as pas remarqué ? Tu n'as rien senti ? Tu as donc gagné au moins deux centimètres. Ça représente presque un mois. »

Je ne trouvai rien à dire.

« Dans huit jours, je les ferai raccourcir dans les mêmes proportions, mais ils seront quand même comme tu les aimes. Tu n'avais même pas remarqué qu'ils étaient plus courts, si ?

— Non, en effet. Ils sont magnifiques.

— Alors, tu vois comme elle était bonne, mon idée ? La semaine prochaine, tu auras gagné deux mois. Je pourrais retourner chez le coiffeur dès cet après-midi, mais autant attendre de les faire laver à nouveau pour renouveler l'opération.

— Ils sont superbes, comme ça.

— Je vais couper les tiens maintenant pour arrêter la longueur sur la nuque.

— Tu crois qu'il faut ?

— Évidemment, Tatie. On s'était mis d'accord là-dessus, non ?

— Peut-être que ça va avoir l'air bizarre.

— Pas pour nous. Et les autres, qu'est-ce qu'on en a à faire ?

— Rien, c'est vrai. »

Je me suis installé sur une des chaises de la salle à manger, une serviette autour du cou, et elle a tracé sa ligne le long de ma nuque à la même distance de mon col que celle qui séparait ses cheveux du sien, et elle a ramené à l'arrière en me les plaquant sur le crâne tous les cheveux que j'avais au-dessus de l'oreille, puis elle a tracé une autre ligne qui partait du coin de l'œil pour arriver derrière le haut de l'oreille. C'est alors qu'elle m'a dit : « Je me trompais, Tatie, quand je te parlais de quatre mois. Ce sera probablement plus long.

— Tu crois vraiment ? À Toronto, je ne leur ai rien laissé enlever sur les côtés ou le dessus pendant plus d'un mois avant la dernière fois. Et il y a six semaines, j'ai juste fait rafraîchir la nuque.

— Mais comment tu peux te souvenir de tout ça ?

— Parce que c'était juste au moment où on a su qu'on partait. Ces trucs-là, c'est comme le jour où tu sors de prison, tu ne les oublies pas.

— En ce cas, ce n'était pas très tard dans l'automne. C'est parfait, Tatie. Si j'ai coupé là, c'est parce qu'il faut qu'ils poussent comme les miens à cet endroit. Regarde, dit-elle en relevant ses cheveux au-dessus de ses oreilles avant de les laisser retomber sur le devant, c'est là que ça commence. Les tiens sont épais à cet endroit, et ils sont déjà longs. Dans un mois, tu ne pourras plus les empêcher de te passer par-dessus les oreilles. Tu as peur ?

— Peut-être, oui.

— Moi aussi, un peu. Mais on va se tenir à ce qu'on a décidé, d'accord ?

— Bien sûr.

— Je suis contente, si tu l'es.

— On est bien sûrs, au moins ?

— Qu'est-ce que tu en penses, toi ?

— Moi, je suis pour.

— Alors, on va le faire.

— Tu es bien sûre ? dis-je.

— Oui.

— Et tout ce que pourront dire les autres ne changera rien à l'affaire ?

— Absolument rien.

— Bon, c'est vrai qu'on n'a commencé qu'hier.

— Toi, ça remonte à Toronto.

— Non. Je veux parler de l'autre truc.

— On va faire ça tranquillement, sans se poser de questions et on va bien s'amuser. Tu es satisfait maintenant qu'on a vraiment démarré et qu'on a fait quelque chose de concret ?

— Je suis fier de toi pour en avoir eu l'idée, dis-je.

— À présent, on a un nouveau secret. On ne dira rien à personne.

— Jamais. Combien de temps va durer l'expérience ?

— Un an ?

— Non, six mois.

— On verra bien. »

C'était une des années où nous sommes allés passer l'hiver en Autriche. Là-bas, à Schruns, personne ne s'intéressait à vos habits ni à votre coupe de cheveux, si ce n'est que, dans la mesure où nous venions de Paris, certains ont dû croire que c'était la dernière mode dans la capitale française. C'était le cas à une époque, alors pourquoi pas à nouveau maintenant ?

Herr Nels, le patron de l'hôtel, qui avait une barbe à la Napoléon III, et qui avait vécu en Lorraine, me dit qu'il se souvenait de l'époque où tous les hommes avaient les cheveux longs, sauf les Prussiens qui les portaient ras. Il me dit qu'il était très content de voir que Paris était revenu à cette mode. Quand j'allai me faire couper les cheveux, le coiffeur mit le plus grand soin à essayer de bien saisir le style et se montra fort intéressé. Il avait vu cela dans des illustrés italiens, me fit-il savoir. Ça n'allait pas à tout le monde, précisa-t-il, mais il était heureux de voir que c'était à nouveau à la mode. D'après lui, c'était une façon de se révolter contre les années de guerre. Une bonne chose finalement, une saine attitude.

Par la suite, il me dit que plusieurs des jeunes gens du village avaient adopté la même coupe, même si, pour l'instant, ça ne les avantageait pas vraiment. Pouvait-il se permettre de me demander depuis combien de temps je laissais pousser mes cheveux ?

« Environ trois mois.

— Alors, il va falloir qu'ils soient patients. Ils voudraient tous les voir leur passer par-dessus les oreilles du jour au lendemain.

— Ça demande beaucoup de patience, dis-je.

— Et quand est-ce que les vôtres seront à la bonne longueur ?

— Dans six mois… mais c'est difficile à dire.

— J'ai une lotion à base d'herbes qui remporte un franc succès. Rien de tel pour stimuler la croissance. Vous voulez essayer une *friction* ?

— Ça sent quoi ?

— Les herbes, rien d'autre. C'est très agréable comme parfum. »

En avant donc pour le tonique aux herbes, dont on ne pouvait ignorer qu'il sentait… les herbes. Quand je m'arrêtai à la *wine Stube,* je remarquai que les plus jeunes et les plus délurés des habitués fleuraient la même odeur.

« Alors, il vous l'a vendue, à vous aussi, me dit Hans.

— Oui. C'est efficace ?

— C'est ce qu'il dit. Vous en avez acheté un flacon ?

— Oui.

— On est des vrais crétins, dit Hans. Dépenser de l'argent pour faire pousser nos cheveux et avoir la coupe qu'on avait quand on étaient gamins... Dites, c'est vraiment la mode à Paris ?

— Non.

— Tant mieux. Pourquoi vous coupez les vôtres comme ça, alors ?

— Pour m'amuser.

— Bon. Eh bien, en ce cas, moi aussi. Mais on n'en dira rien au coiffeur.

— Ni à lui ni aux autres.

— D'accord. Dites-moi encore, votre femme, elle les aime comme ça ?

— Oui.

— Ma petite amie aussi.

— C'est elle qui vous a demandé de les laisser pousser ?

— Non. On en a parlé tous les deux.

— Ça prend du temps, vous savez.

— Il va falloir être patient. »

C'est ainsi que, cet hiver-là, nous eûmes un autre élément à ajouter à la liste de nos petits plaisirs.

Un drôle de club de boxe

Larry Gains était un poids lourd noir longiligne, au visage intact et aux bonnes manières, qui débarqua à Paris en provenance du Canada, où il avait été champion de sa catégorie chez les amateurs. Quelqu'un ne tarda pas à le mettre entre les mains d'un manager du nom d'Anastasie qui avait une écurie de boxeurs et qui le présenta aussitôt comme le champion canadien catégorie poids lourds. Le véritable champion, en l'occurrence, était un professionnel chevronné, Jack Renault, qui savait se déplacer et frappait fort des deux poings : face à lui, Larry Gains ne serait pas resté debout bien longtemps sur le ring.

Nous venions de rentrer de voyage, ma femme et moi, dans notre appartement au-dessus du Bal Musette, en haut de la *rue* du Cardinal-Lemoine, et je triais le courrier en quête d'un ou deux chèques quand je tombai sur une lettre de Lou Marsh, le responsable de la rubrique sportive au *Toronto Star*, me demandant de m'occuper de

Larry, lequel, sur un petit mot joint à la lettre, avait griffonné son adresse. Dans le journal du matin *L'Auto*, il y avait un article sur Larry Gains, le poids lourd champion du Canada, qui devait livrer son premier combat en France le samedi suivant au Stade Anastasie, *rue* Pelleport à Ménilmontant, la première colline pentue sur votre droite au-delà des Buttes-Chaumont quand vous vous trouvez au milieu du quartier des abattoirs et que vous regardez en direction de la porte de la Villette. Une façon plus commode de repérer l'endroit serait de dire qu'il correspondait à l'avant-dernière station sur la ligne de métro Porte des Lilas, juste avant le réservoir de Ménilmontant. L'endroit était dans un coin dangereux, mais facilement accessible, et pouvait draguer la clientèle de trois des quartiers les plus chauds de Paris, dont Belleville. Il était suffisamment près du Père-Lachaise pour attirer les cadavres du cimetière, en admettant qu'il y ait eu des fans de boxe parmi eux.

J'envoyai un *pneumatique* à Larry, et nous nous retrouvâmes au Café Napolitain, sur le boulevard des Italiens. Larry était un très gentil garçon, et, une fois assis à la table avec lui, la première chose que je remarquai, en dehors de son visage intact, de son allure générale et de ses bonnes manières, ce fut ses mains, étrangement longues, les plus longues que j'aie jamais vues chez un boxeur. Au point de n'entrer dans aucun gant standard. En venant en France, il s'était arrêté en Angleterre pour disputer un combat contre un poids moyen du nom de Frank Moody, qui boxait en surclassé.

« Il m'a battu, monsieur Ernest, dit Larry. Parce que les gants étaient trop petits. J'avais les mains tellement serrées là-dedans que je pouvais rien en faire. »

Frank Moody était à ce moment-là un très bon boxeur, et après avoir vu Larry à l'œuvre, j'eus plusieurs raisons de penser que Frank Moody l'aurait battu, même si son adversaire avait eu des gants à la bonne taille. Nous prîmes le métro pour nous rendre jusqu'à la colline abrupte que gravissait la rue Pelleport, et je découvris que le Stade Anastasie était une sorte de restaurant-dancing, avec quelques chambres à l'étage, situé sur un terrain vague planté d'arbres et clos par un mur d'enceinte. On avait installé un ring sous les arbres, où les boxeurs venaient s'entraîner quand il faisait beau, et dans le dancing il y avait un sac lourd, un punching-ball et des tapis de sol. On pouvait aussi y bricoler un ring, les jours de mauvais temps.

Le samedi soir, à la fin du printemps, en été et au début de l'automne, il y avait des combats en plein air, avec des rangées de chaises numérotées tout autour du ring. Les gens dînaient d'abord au restaurant et aux tables disposées dans le dancing, où les boxeurs, qui vivaient et mangeaient là quand ils n'étaient pas parisiens, étaient aussi serveurs. On pouvait acheter soit une place assise numérotée, soit un ticket d'entrée qui vous permettait de boire et de manger au restaurant, puis de regarder le combat debout, derrière les chaises. Les prix étaient bas, et la nourriture excellente.

La première fois que je me rendis au Stade Anastasie, je ne connaissais rien de tout cela, j'avais simplement entendu parler de l'endroit. Ce que je savais, c'est que c'était un quartier de Paris où il faisait bon vivre et s'entraîner à cette époque de l'année. Pendant son entraînement, je pus constater que Larry était plutôt léger pour un poids lourd. Il était bien bâti et avait de bons muscles effilés, certes, mais il ne s'était pas encore étoffé et n'était guère qu'un gamin monté en graine qui ne savait pas grand-chose. Il avait une belle allonge, un bon direct du gauche, une jolie droite et, très souple sur ses pieds, il bougeait très vite. Il avait un magnifique jeu de jambes et il se déplaçait plus vite, plus loin, et plus inutilement que tous les poids lourds qu'il m'avait été donné de voir jusqu'ici. C'était un véritable amateur. Après quelques corps-à-corps, directs et pas de danse autour d'un poids lourd inoffensif, assortis de fuites classiques extrêmement rapides qui laissaient son sparring-partner perplexe, l'entraîneur d'Anastasie lui opposa un poids welter de Marseille qui allait passer poids moyen. Ce dernier boxait très près de son adversaire et passait sous les directs de Larry, qui avaient beaucoup de mal à partir vers le bas, et il commença à travailler Larry au corps, si bien que celui-ci n'eut d'autre ressource que de s'accrocher à lui. C'était pitoyable. Brusquement, les bras de Larry étaient trop longs, il n'avait plus aucun espace où danser, et l'autre lui était dans les jambes quand il voulait, le martelant des deux poings, sans que Larry soit capable de faire autre chose que s'accrocher.

« Qui est-ce qu'il combat samedi ? demandai-je à l'entraîneur.

— T'en fais pas, me dit l'autre.

— Le premier poids lourd venu va le massacrer.

— Pas ici.

— T'aurais intérêt à enlever les coins du ring.

— Tu vois pas que je suis en train de lui redonner confiance ? » dit l'entraîneur, qui arrêta le combat et fit signe de monter sur le ring à un nouveau poids lourd qui venait d'arriver du restaurant.

Larry faisait le tour du ring en respirant profondément. Le welter n'avait plus ses gants et lançait directs et uppercuts dans le vide, en tournant au pied du ring et en soufflant bruyamment par le nez, le menton dans la poitrine. Larry le regardait d'un air circonspect, tout en continuant à marcher et à respirer. Occupe-toi de lui, avait écrit Lou Marsh dans sa lettre. C'était bien le dernier endroit où j'aurais voulu me trouver, pensai-je alors. Occupe-toi de lui, tu parles !

« Tu ne vas pas lui montrer comment se protéger dans les combats de près ? demandai-je à l'entraîneur. Il a un match samedi prochain.

— Trop tard, dit l'autre. J'ai pas l'intention de lui esquinter son style.

— Son style ?

— Il a un *jeu de jambes fantastique*, dit l'entraîneur. *T'as pas vu ?* »

Le nouvel arrivé était un gars du cru qui avait travaillé aux abattoirs à transporter les carcasses, jusqu'au jour où un accident avait affecté ses facultés mentales.

« Il ne connaît pas sa force, me dit l'entraîneur. Et il n'a que des notions rudimentaires de *la boxe.* Mais il est très docile. »

Sur quoi, il lui donna ses instructions avant qu'il monte sur le ring, opération qui parut exiger de lui un gros effort. Les instructions étaient on ne peut plus simples : « Protège-toi. » Le porteur de carcasses hocha la tête et se mordit la lèvre inférieure, sous l'effet de la concentration. Quand il fut enfin sur le ring, l'entraîneur lui répéta : « Protège-toi. » Puis il ajouta : « Et arrête de te mordre la lèvre. » L'autre hocha la tête, et l'entraîneur leur dit de commencer.

Le quidam aux carcasses plaça ses deux mains devant son visage, les gants se touchant presque, les coudes collés au corps, le menton rentré dans la poitrine et niché derrière son épaule gauche, relevée d'une manière sans doute très inconfortable. Il avança lentement et lourdement sur Larry, le pied gauche d'abord, le droit suivant péniblement.

Larry l'arrêta d'un direct, puis d'un autre, et lança une droite qui atterrit sur le front du costaud des abattoirs. Qui réfléchit laborieusement et commença à reculer, le pied gauche se retirant avec précaution, le droit ramené lentement mais exactement au même niveau. Larry fit aussitôt admirer son magnifique jeu de jambes et se mit à poursuivre l'autre comme un puma qui gambade, lui assénant une cascade de directs du gauche, et quelques droites bien senties.

« Ton gauche ! cria l'entraîneur au c. des a. Sers-toi de ton gauche ! »

Lentement, le costaud des abattoirs décolla son gant gauche de sa tempe et le tendit furieusement en direction de Larry, qui interrompit son sautillement le temps de lui expédier un joli direct du droit sur la bouche.

« T'as vu comment il protège sa mâchoire avec l'épaule ? me demanda l'entraîneur.

— Et son estomac, alors ?

— Larry ne frappe jamais à l'estomac », répondit l'autre.

Autant découvrir le pire tout de suite, pensai-je. « Des crochets à l'estomac, Larry ! criai-je. Fais-lui baisser sa garde ! »

Larry s'approcha en dansant, puis il abaissa le bras gauche — si bien que s'il avait eu affaire à un boxeur avec une bonne droite il était mort, et le premier poids lourd venu a forcément une bonne droite — et atteignit le c. des a. d'un swing à l'estomac. L'autre se tassa sur lui-même, sans pour autant baisser les mains.

« Tu cherches à faire quoi ? me demanda l'entraîneur. Tu veux changer son style ?

— *Merde*, lançai-je.

— Il a un combat samedi soir. Tu tiens à ce qu'il s'abîme les mains sur les coudes du simplet qu'il a devant lui ? Tu veux vraiment l'esquinter ? C'est moi qui m'occupe de lui. Pas toi. Alors, boucle-la. »

Je la bouclai, et regardai Larry sautiller et s'ouvrir une petite brèche entre les deux gants levés, avant de virevolter autour du malheureux porteur de carcasses en lui assénant des directs du droit sur l'oreille gauche, sur le front et un autre sur la bouche quand son adversaire passa à l'attaque à la demande de l'entraîneur. Larry frappait droit et fort, et il savait bouger, c'était indéniable, mais je ne pouvais m'empêcher de penser à Jack Renault, le véritable champion canadien catégorie poids lourds, et à tout ce que Larry avait encore à apprendre.

Le jeune boxeur que Larry eut pour adversaire lors de son premier combat à Paris n'en savait guère plus que le type des abattoirs, mais lui au moins ne refusait pas de se battre en se couvrant sans arrêt. Larry multipliait les directs. Des coups lourds, qui faisaient mal et laissaient des marques. L'autre poids lourd, qui sortait de l'armée, avait l'air affamé, et Larry virevoltait si vite autour de lui, en faisant pleuvoir ses coups, que c'était du délire parmi les spectateurs. Larry l'atteignit d'une bonne droite assez longue qui ébranla sérieusement le gamin, et tandis que celui-ci commençait à tomber, Larry oublia tout ce qu'on lui avait appris et se mit à lui décocher des swings, jusqu'au moment où l'autre s'effondra dans les cordes et tomba la tête la première sur le tapis.

« Je suis désolé, me dit Larry à l'issue du combat. S'il te plaît, dis-le aussi à ta femme que je suis désolé. Je sais que j'ai pas été bon, mais je ferai mieux la prochaine fois.

— Les spectateurs t'ont trouvé extra. C'était du délire.

— Ouais, bien sûr. Tu crois qu'on pourrait se voir lundi, pour parler du combat et du reste ?

— Sûr. Au même café, Le Napolitain. Vers midi. »

Tout compte fait, le Stade Anastasie était vraiment un drôle de club de boxe.

L'âcre odeur des mensonges

Ford : Il était assis très droit, comme un grand poisson sur le point d'expirer, exhalant un souffle plus immonde que le jet d'une baleine.

Ford était aimé de beaucoup de monde. Surtout, bien entendu, des femmes. Mais quelques hommes l'appréciaient aussi, quand ils le connaissaient mieux, et beaucoup s'efforçaient d'être justes avec lui tout au long de leur vie. C'étaient des gens qui, à l'instar d'H. G. Wells, l'avaient vu dans un de ses bons moments et avaient été témoins des traitements injustes dont il était victime.

Pour ma part, je ne l'ai jamais connu dans un moment de ce genre, même si l'on a toujours dit le plus grand bien de sa période *Transatlantic Review,* aussi bien à l'époque que par la suite. Tout le monde ou presque ment, et les mensonges n'ont pas grande importance. Il y a même des gens que nous aimons précisément pour leurs mensonges et dont nous espérons toujours qu'ils vont nous livrer leurs meilleures histoires. Mais les mensonges de Ford, eux, laissaient souvent des cicatrices. Il mentait à propos d'argent ou de choses importantes dans la vie quotidienne, en vous jurant que c'était vrai. Quand les choses allaient très mal pour lui, il lui arrivait de vous donner une réponse assez proche de la vérité. Mais s'il gagnait un peu d'argent ou que la chance venait à lui sourire, il devenait franchement impossible. Je m'efforçais d'être juste avec lui et pas trop sévère, de ne pas le juger, pour simplement rester en bons termes avec lui. Mais penser à lui ou écrire à son sujet avec justesse et honnêteté revenait à être plus cruel que de porter sur lui un quelconque jugement.

Après ma première rencontre avec Ford, qui eut lieu dans l'atelier d'Ezra, alors que ma femme et moi étions à peine rentrés du Canada avec un bébé de six mois et que nous avions emménagé en plein cœur de l'hiver dans l'appartement au-dessus de la scierie située dans la rue où habitait Ezra, celui-ci me dit de me montrer compréhensif avec Ford et de ne pas me formaliser de ses mensonges.

« Il ment toujours quand il est fatigué, Hem, m'avertit Ezra. Ce soir, il était plutôt pas mal. Il faut que tu comprennes qu'il ment quand il est fatigué. Un soir où il était épuisé, il m'a raconté une histoire à dormir debout sur une traversée du sud-ouest des États-Unis qu'il avait faite dans sa jeunesse en compagnie d'un puma.

— Est-ce qu'il a jamais mis les pieds dans le sud-ouest ?

— Bien sûr que non. Mais là n'est pas la question, Hem. Il était fatigué, c'est tout. »

Ezra me raconta que Ford, se trouvant dans l'incapacité d'obtenir le divorce d'avec sa première femme, à l'époque où il était encore Ford Madox Hueffer, s'était rendu en Allemagne, où il avait de la famille. Il semble qu'il y soit resté assez longtemps pour se persuader qu'il était devenu un citoyen allemand à part entière et qu'il avait obtenu un divorce allemand en bonne et due forme. À son retour en Angleterre, sa première femme avait refusé de se rendre à ses arguments, et Ford s'était retrouvé en butte à de cruelles persécutions et vilipendé par nombre de ses amis. En fait, l'histoire ne s'arrêtait pas là : elle était plus compliquée, et il s'y mêlait pas mal de gens intéressants, qui le sont tous beaucoup moins aujourd'hui. Un homme qui avait pu se persuader d'avoir obtenu un divorce, pour se retrouver ensuite harcelé pour une erreur aussi simple, méritait quelque compassion, et j'aurais aimé demander à Ezra si Ford avait été fatigué tout au long de cette période ; mais je suis sûr qu'il avait dû l'être.

« C'est pour cette raison qu'il a abandonné le nom d'Hueffer ? demandai-je.

— Pour celle-là et bien d'autres. Il a changé de nom après la guerre. »

À l'époque, Ford venait de fonder la *Transatlantic Review* à Paris. À Londres, avant la guerre et avant ses déboires conjugaux, il avait déjà dirigé l'*English Review*, qui, d'après Ezra, était vraiment une excellente revue, où Ford avait fait un superbe travail de rédacteur en chef. Aujourd'hui, sous son nouveau nom, il en démarrait une autre. Il y avait une nouvelle Mrs Ford, une jeune Australienne brune, très agréable, du nom de Stella Bowen, qui prenait son métier de peintre très au sérieux. Ils avaient une petite fille, prénommée Julie, grande pour son âge, très blonde et bien élevée. C'était une belle enfant, et Ford me dit qu'elle avait les traits et le teint de son père au même âge.

J'avais pour Ford une antipathie physique totalement irraisonnée, pas simplement à cause de sa mauvaise haleine, même si je m'arrangeais pour en atténuer les effets en me tenant constamment contre le vent en sa présence. En dehors de son haleine, il sentait en effet une autre odeur, très particulière, qui faisait qu'il m'était pratiquement impossible de rester dans une pièce fermée en sa compagnie. Cette odeur, d'une âcreté douceâtre assez écœurante, se faisait plus forte quand il mentait. Peut-être sentait-il comme ça dans ses moments de fatigue. Je faisais toujours mon possible pour le rencontrer à l'air libre, et quand j'allais à la presse à main de Bill

Bird, sur le quai d'Anjou dans l'île Saint-Louis, où il mettait en pages sa revue, afin de lire des manuscrits pour lui, je sortais du magasin, les manuscrits sous le bras, et m'installais sur le muret bordant le quai, à l'ombre des grands arbres. C'est là de toute façon que je les aurais lus, parce que l'endroit était agréable et que la lumière y était bonne, mais il fallait toujours que je quitte le magasin aussi vite que possible dès que Ford entrait.

L'éducation de Mr Bumby

Quand il était encore très jeune et que nous habitions au-dessus de la scierie, Bumby, mon premier fils, et moi passions beaucoup de temps ensemble dans les cafés où je travaillais. L'hiver, il venait toujours avec nous à Schruns, dans le Vorarlberg, mais quand Hadley et moi partions en Espagne, il passait ces mois d'été avec la *femme de ménage*, qu'il appelait Marie-Cocotte, et son mari, qu'il appelait Touton, soit au 10 *bis* avenue des Gobelins où ils avaient un appartement, soit à Mûr-de-Bretagne où ils allaient pour les congés annuels de *Monsieur* Rohrbach. Ce dernier avait été *maréchal des logis-chef* dans l'armée régulière française et, depuis son départ en retraite, il occupait un emploi mineur dans la fonction publique qui, joint aux gages de Marie, leur permettait de vivre honorablement, en attendant le jour où ils pourraient se retirer pour de bon à Mûr-de-Bretagne. Touton joua un grand rôle dans les années de formation de Bumby, et quand il y avait trop de monde à La Closerie des

Lilas pour que l'on puisse y faire du bon travail ou que je jugeais qu'il avait besoin de changer de décor, je l'emmenais dans sa poussette, puis plus tard à pied, jusqu'au café de la place Saint-Michel, où il observait les gens et la vie animée de ce quartier de Paris, pendant que j'écrivais en buvant un *café crème.* Chacun avait son café bien à lui, où il n'invitait jamais personne et où il allait pour travailler, lire ou récupérer son courrier. Les gens avaient d'autres cafés où ils rencontraient leurs maîtresses, et beaucoup en avait encore un autre, une sorte de terrain neutre, où ils vous invitaient pour faire par exemple la connaissance de leurs maîtresses. Il ne manquait pas non plus d'endroits, commodes et bon marché, où tout un chacun pouvait manger en terrain neutre. Cette organisation n'avait rien à voir avec celle du quartier Montparnasse, centrée autour du Dôme, de La Rotonde et du Select, et plus tard, de La Coupole ou du Dingo, telle qu'on la trouve dans les livres sur Paris au début de sa grande époque.

En prenant de l'âge, Bumby finit par parler un français excellent, et même s'il était habitué à rester parfaitement silencieux et à se contenter d'étudier et d'observer ce qui se passait autour de lui pendant que je travaillais, il lui arrivait, quand il voyait que j'en avais terminé, de me confier certaines des choses qu'il avait apprises de Touton.

« *Tu sais, papa, que les femmes pleurent comme les enfants pissent ?*

— C'est Touton qui t'a dit ça ?

— Il dit qu'un homme ne devrait jamais l'oublier. »

« Papa, me confiait-il un peu plus tard, il y a quatre *poules* pas mal qui sont passées pendant que tu travaillais.

— Qu'est-ce que tu sais des *poules*, toi ?

— Rien. Je les observe. On les observe.

— Qu'est-ce qu'en dit Touton ?

— On ne les prend pas au sérieux.

— Qu'est-ce qu'on doit prendre au sérieux, alors ?

— *Vive la France et les pommes de terre frites.*

— Touton est un grand homme, dis-je.

— Et un grand soldat, dit Bumby. Il m'a appris énormément de choses.

— Je l'admire beaucoup.

— Et lui t'admire aussi. Il dit que tu as un *métier* très difficile. Dis-moi, papa, c'est difficile d'écrire ?

— Parfois.

— Touton dit que c'est un travail très difficile et qu'il faudra toujours que je le respecte.

— C'est ce que tu fais.

— Papa, t'as vécu longtemps au milieu des *Peaux-Rouges* ?

— Pas très.

— Tu crois qu'on pourrait rentrer en passant par la librairie de Silver Beach ?

— Bien sûr. Tu l'aimes bien, hein ?

— Elle est toujours très gentille avec moi.

— Avec moi aussi.

— Elle a un nom très joli. Silver Beach.

— On passera chez elle, et puis après, il faudra que je te ramène à la maison pour l'heure du déjeuner. J'ai promis à des gens d'aller déjeuner avec eux.

— Des gens intéressants ?

— Bof, des gens », répondis-je.

Ce n'était pas encore l'heure où l'on faisait naviguer des bateaux dans le bassin des jardins du Luxembourg, et nous n'avons pas eu à nous arrêter pour regarder le spectacle. Quand nous sommes arrivés à la maison, Hadley et moi avons eu une sérieuse dispute à propos d'une question sur laquelle elle avait raison et moi entièrement tort.

« Maman a fait des bêtises. Et papa l'a grondée », a déclaré Bumby, toujours sous l'influence de Touton, d'un ton grandiloquent et en français.

Quand Scott prit l'habitude de débarquer souvent ivre à la maison, Bumby me demanda un jour d'un ton grave, alors que nous avions fini de travailler tous les deux au café de la place Saint-Michel :

« M. Fitzgerald est malade, papa ?

— Il est malade parce qu'il boit trop et qu'il ne peut plus travailler.

— Alors, lui, il ne respecte pas son *métier* ?

— C'est Madame sa femme qui ne le respecte pas, ou alors elle en est jalouse.

— Il devrait la gronder.

— Ce n'est pas si simple.

— Est-ce qu'on doit le voir aujourd'hui ?

— Oui, je crois.

— Il va encore boire beaucoup ?

— Non. Il a dit que nous ne boirions pas.

— Moi, je vais lui donner une leçon. »

Cet après-midi-là, quand, avec Bumby, j'ai retrouvé Scott dans un café en territoire neutre, ce dernier n'a effectivement pas voulu d'alcool, et nous avons chacun commandé une bouteille d'eau minérale.

« Pour moi, ce sera un *demi de bière blonde*, a dit Bumby.

— Tu laisses ce gamin boire de la bière ? a demandé Scott.

— Touton dit qu'un peu de bière ne peut pas faire de mal à un garçon de mon âge, a rétorqué Bumby. Mais bon, disons un *ballon.* »

Un *ballon* ne faisait que la moitié d'un demi.

« Qui est-ce, ce Touton ? » m'a demandé Scott.

Je lui ai alors parlé de Touton, lui disant que le personnage aurait pu sortir tout droit des Mémoires de Marcellin de Marbot ou du maréchal Ney, si celui-ci avait écrit les siens, et qu'il incarnait les valeurs des anciens de l'armée française, qui avaient été souvent mises à mal mais avaient encore cours. Scott et moi avons ensuite évoqué les campagnes napoléoniennes et la guerre de 1870, dont il ne savait rien, et je lui ai raconté plusieurs histoires relatives aux mutineries qui se produisirent dans l'armée française après l'offensive du général Nivelle au Chemin des Dames, et auxquelles avaient pris part les amis dont je tenais ces histoires, ajoutant que des hommes comme Touton étaient des anachronismes, certes, mais des gens éminemment respectables. Scott nourrissait une passion pour la guerre de 14-18, et dans la mesure où j'avais des tas d'amis qui avaient servi, dont certains avaient vu les choses de près peu de temps auparavant, ces histoires concernant la guerre telle qu'elle s'était réellement déroulée l'ont beaucoup dérangé. La conversation passait largement au-dessus de la tête de Bumby, mais il a écouté attentivement, et, plus tard, quand nous fûmes passés à d'autres sujets et que Scott fut parti, plein d'eau minérale et de la résolution d'écrire bien et vrai, je lui ai demandé pourquoi il avait commandé une bière.

« Touton dit que la première chose que devrait apprendre un homme, c'est à se contrôler, m'a-t-il répondu. J'ai pensé que je pourrais donner l'exemple.

— Ce n'est pas aussi simple que ça, lui dis-je.

— La guerre n'est pas simple non plus, pas vrai, papa ?

— Non. Elle est très compliquée. Pour l'instant, tu crois à ce que te dit Touton. Plus tard, tu découvriras beaucoup de choses par toi-même.

— C'est la guerre qui a démoli M. Fitzgerald ? Touton m'a dit que c'était arrivé à des tas de gens.

— Non. Pas à lui.

— J'en suis bien content, dit Bumby. Ça doit être un truc passager.

— Ça ne serait pas déshonorant s'il avait été détruit mentalement par la guerre, dis-je. Nombre de nos bons amis l'ont été. Certains s'en sont remis et ont accompli de belles choses par la suite. Comme notre ami André Masson, le peintre.

— Touton m'a déjà expliqué que ce n'était pas déshonorant d'avoir été détruit mentalement. Il y avait trop d'artillerie dans cette dernière guerre. Et les généraux étaient tous des in-ca-pables.

— C'est très compliqué, dis-je. Tu découvriras tout ça par toi-même un jour.

— En attendant, c'est bien agréable de ne pas avoir de problèmes particuliers. De problèmes graves, je veux dire. Tu as bien travaillé aujourd'hui ?

— Très bien.

— Je suis bien content, dit Bumby. Si je peux t'être utile d'une manière ou d'une autre…

— Tu m'es très utile comme ça.

— Pauvre M. Fitzgerald, dit Bumby. Il a été très gentil aujourd'hui de ne pas boire et de ne pas te tarabuster. Tu crois que ça va aller pour lui, papa ?

— Je l'espère. Mais il a de gros problèmes. Des problèmes pratiquement insurmontables, il me semble, qui touchent à son travail d'écrivain.

— Je suis sûr qu'il les surmontera, dit Bumby. Il a été tellement gentil aujourd'hui, et tellement raisonnable. »

Scott et son chauffeur parisien

Après le match de Princeton à l'automne 1928, Scott, Zelda, Henry (Mike) Strater, ma femme Pauline et moi-même reprîmes le train bondé pour rallier Philadelphie, où nous devions retrouver la Buick des Fitzgerald et leur chauffeur français pour qu'il nous emmène chez eux, à Ellerslie Mansion, une maison située au bord du fleuve à la sortie de Wilmington. Scott et Mike Strater avaient été condisciples à Princeton, et Mike et moi étions de bons amis depuis notre première rencontre à Paris en 1922.

Scott prenait le football très au sérieux et il s'était abstenu de boire pendant pratiquement toute la rencontre. Mais, une fois dans le train, il avait commencé à adresser la parole à des gens qu'il ne connaissait pas et à leur poser toutes sortes de questions. Plusieurs filles réagirent assez mal, mais Mike ou moi nous efforcions de parler à leurs compagnons pour calmer les esprits et tenir Scott à l'écart des ennuis. Nous le fîmes se rasseoir à plusieurs reprises, mais il insistait pour se promener d'une voiture à l'autre ; il s'était montré tellement correct et raisonnable tout au long de la journée qu'on pouvait bien l'aider à éviter quelque sérieux désagrément. Nous n'avions pas d'autre choix que de nous occuper de lui, mais quand il se rendit compte que nous le sortions d'affaire dès que les choses menaçaient de mal tourner, il se mit à étendre son registre, alternant questions indiscrètes et courtoisie excessive, tandis que l'un de nous l'entraînait gentiment un peu plus loin et que l'autre présentait des excuses.

Il finit par tomber sur un supporter de Princeton absorbé dans la lecture d'un livre de médecine. Scott lui prit le livre des mains avec beaucoup de civilité, tout en lui disant : « Vous permettez, monsieur ? », y jeta un coup d'œil, le lui rendit avec déférence et cria à la cantonade : « Ernest, j'ai trouvé un toubib à chaude-pisse ! »

L'homme ne lui prêta aucune attention et poursuivit sa lecture.

« Vous êtes bien un toubib à chaude-pisse, non ? lui demanda Scott.

— Allez, Scott, arrête ça, lui dis-je, tandis que Mike secouait la tête.

— Voyons, soyez franc, monsieur. Y a pas de honte à être un toubib à chtouille. »

J'essayai d'entraîner Scott, pendant que Mike priait l'autre de l'excuser. Se désintéressant de la chose, l'étudiant poursuivait sa lecture.

« Un toubib à chtouille, reprit Scott. Docteur, soigne-toi toi-même. »

Finalement, nous arrivâmes à le persuader de laisser l'étudiant en médecine tranquille, et le train atteignit la gare de Philadelphie sans que personne ait frappé Scott. Pendant le trajet, Zelda avait adopté son attitude de dame bien élevée et était restée tranquillement assise à côté de Pauline, sans prêter la moindre attention aux débordements de Scott.

Le chauffeur des Fitzgerald était un chauffeur de taxi parisien qui ne parlait pas l'anglais et ne le comprenait pas davantage. Il avait chargé Scott une nuit, à Paris, m'avait raconté ce dernier, et l'avait empêché de se faire voler. Du coup, Scott l'avait embauché et ramené avec lui en Amérique. Tandis que nous roulions en direction de Wilmington dans l'obscurité et que l'alcool avait maintenant commencé à couler, le chauffeur s'inquiéta parce que le moteur chauffait.

« Vous auriez dû remplir le radiateur, dis-je.

— Non, monsieur. Ce n'est pas une question d'eau, c'est l'huile. Monsieur m'interdit d'en mettre dans le moteur.

— Comment ça ?

— Il se met très en colère quand je veux le faire et dit que les automobiles américaines n'ont pas besoin qu'on ajoute de l'huile. C'est bon pour les autos françaises, qui ne valent pas un clou.

— Pourquoi ne pas demander à Madame ?

— C'est encore pire.

— Vous voulez vous arrêter et mettre de l'huile maintenant ?

— Ça risque de faire une scène épouvantable.

— Arrêtons-nous quand même.

— Non, monsieur. On voit bien que vous ne savez pas jusqu'où ça peut aller avec eux.

— C'est en train de bouillir là-dedans, dis-je.

— Mais si je m'arrête pour prendre de l'essence et remettre de l'eau, il faut que je coupe le contact. On ne me servira pas d'essence, si le moteur n'est pas à l'arrêt, et, à ce moment-là, l'eau froide endommagera le bloc-cylindres. De l'eau, il y en a bien assez, monsieur. Le circuit de refroidissement est énorme sur ces engins.

— Bon Dieu, arrêtons-nous et remplissons le radiateur, même avec le moteur en marche.

— Non, monsieur. Je vous répète que Monsieur ne le permettra pas. Cette auto, je la connais. Elle arrivera jusqu'au château. Ce n'est pas la première fois. Mais si demain vous pouviez m'accompagner jusqu'à un garage… On pourrait y aller quand j'emmènerai la petite à l'église.

— Pas de problème, dis-je.

— On fera faire une vidange, dit le chauffeur. On achètera plusieurs bidons. Je les cacherai et j'ajouterai de l'huile chaque fois qu'il le faudra.

— Vous seriez pas en train de causer d'huile ? demanda tout à coup Scott. C'est une maladie chez Philippe : il est persuadé qu'il faut sans arrêt ajouter de l'huile dans ce moteur, comme avec cette Renault ridicule qui nous a ramenés un jour de Lyon. *Philippe, écoute, voiture américain pas d'huile.*

— *Oui, Monsieur,* dit le chauffeur.

— Il rend Zelda nerveuse avec cette histoire de lubrifiant, dit Scott. C'est un brave type, parfaitement fiable, mais il ne connaît rien aux automobiles américaines. »

Le trajet fut un véritable cauchemar, sans compter que lorsque le chauffeur voulut prendre la petite route qui menait à la maison, Zelda l'en empêcha. Elle et Scott s'obstinèrent à affirmer que ce n'était pas là qu'il fallait tourner, Zelda déclarant que l'embranchement se trouvait beaucoup plus loin, Scott, que nous l'avions déjà dépassé. Ils discutèrent et se disputèrent jusqu'à ce que Zelda s'assoupisse un moment, pendant que le chauffeur continuait à rouler lentement. Puis Scott lui dit de faire demi-tour, et, tandis que lui aussi se mettait à somnoler, le chauffeur en profita pour tourner là où il le voulait.

Le poisson-pilote et les riches

La première année dans le Vorarlberg fut tout à fait innocente. La deuxième, celle des avalanches qui tuèrent tant de gens, fut d'une nature différente : on commençait à bien connaître les gens et les lieux. On connaissait même trop bien certaines personnes, et on apprenait à connaître les endroits réservés à la survie et ceux réservés aux plaisirs. La dernière fut un véritable cauchemar, une année meurtrière déguisée en un carnaval débridé. C'est cette année-là que les riches firent leur apparition.

Les riches ont toujours une sorte de poisson-pilote qui les précède : il est parfois un peu sourd, parfois un peu myope, mais, affable et hésitant, il vient humer l'atmosphère avant eux. Voici comment s'exprime le poisson-pilote : « Ma foi, je ne sais pas. Non, bien sûr, pas vraiment. Mais je les aime bien. Je les aime bien tous les deux. Bon sang, Hem, je t'assure, je les aime vraiment. Je vois ce que tu veux dire (petit ricanement), mais je les aime vraiment, et elle, elle a quelque chose de sacrément chouette. (Il donne alors le nom de la femme, qu'il prononce amoureusement.) Non, Hem, ne fais pas l'idiot, et ne fais pas ta mauvaise tête. Je les aime vraiment. Tous les deux. Parole. Lui aussi, tu l'aimeras (il case ici le surnom puéril de l'homme) quand tu le connaîtras. Je t'assure, je les aime tous les deux, vraiment. »

Et puis les riches sont là, et rien n'est plus comme avant. Le poisson-pilote, lui, s'en va, bien sûr. Il est toujours en partance pour quelque part, ou en provenance de quelque part, mais ne reste jamais au même endroit très longtemps. Il fait de la politique ou du théâtre ou cesse d'en faire, à peu près comme il traverse les pays ou les existences des autres, quand il est encore jeune. Il ne se laisse jamais prendre et il échappe toujours aux riches. Rien ni personne n'arrive jamais à l'attraper, seuls ceux qui lui font confiance se laissent prendre et tuer. Il a suivi l'entraînement précoce et irremplaçable du salopard-né et il est animé d'une passion latente et longtemps étouffée pour l'argent. Il finit en règle générale riche lui-même, après avoir fait fructifier jusqu'au dernier dollar qu'il a réussi à mettre de côté.

Ces riches l'aimaient et lui faisaient confiance parce qu'il était timide, drôle, insaisissable, et qu'il était déjà productif, et, parce que c'était un poisson-pilote infaillible, ils se disaient que ses idées politiques, tout à fait sincères à l'époque, n'étaient qu'une imposture passagère et qu'il était bel et bien l'un des leurs, même s'il l'ignorait encore.

Deux êtres qui s'aiment, qui sont heureux et gais et font du bon travail, séparément ou ensemble, attirent les autres aussi immanquablement qu'un phare puissant va attirer la nuit les oiseaux migrateurs. Si ces deux êtres étaient aussi solidement construits que le phare, les dégâts, en dehors des oiseaux, seraient restreints. Ceux qui, grâce à leur bonheur et à leur réussite, attirent les autres ont en général peu d'expérience, mais ils apprennent assez vite à ne pas se laisser envahir et à prendre la tangente. En revanche, ils n'ont rien appris sur le compte de ces riches : des gens bien, attirants, charmants, aimables, au sens premier du terme, généreux et compréhensifs, ces riches qui n'ont rien de mauvais et qui font de la vie au quotidien une perpétuelle fête, mais qui, une fois qu'ils sont passés et se sont servis, laissent tout derrière eux plus désolé que l'herbe jamais labourée par les sabots des chevaux d'Attila.

Cette année-là, les riches arrivèrent, guidés par leur poisson-pilote. Un an plus tôt, ils ne seraient jamais venus. Rien n'était encore sûr. Le travail effectué était tout aussi bon, le bonheur bien plus grand, mais aucun roman n'avait été écrit, si bien qu'ils n'avaient pas de certitude. Ce n'était pas leur genre que de gaspiller leur temps ou leurs charmes avec des gens qui n'avaient pas fait leurs preuves. Pourquoi l'auraient-ils fait ? Picasso était une valeur sûre, l'était déjà bien avant qu'ils aient jamais entendu parler de peinture. Ils étaient sûrs d'un autre peintre également. De beaucoup d'autres. Mais c'était sur lui qu'ils avaient jeté leur dévolu. De fait, c'était plutôt un bon peintre, si l'on aimait ce qu'il faisait, et puis il ne s'en laissait pas conter. Mais cette année-là, ils étaient sûrs de leur coup, ils avaient la parole du poisson-pilote, qui les accompagna pour éviter que nous les prenions pour des intrus ou que je fasse ma mauvaise tête. Le poisson-pilote était évidemment notre ami.

J'en ai des frissons dans le dos aujourd'hui quand j'y repense. À cette époque, je faisais confiance au poisson-pilote comme j'aurais fait confiance au bulletin de météo marine pour la Méditerranée, disons, ou aux tableaux de l'Almanach nautique Brown. Sous le charme de ces riches, j'étais aussi bête et confiant que le chien de chasse prêt à suivre le premier fusil venu ; ou le cochon savant qui, dans un cirque, a enfin trouvé quelqu'un qui l'aime et l'estime pour ce qu'il est, et rien d'autre. Que chaque nouvelle journée puisse être une fiesta me semblait relever d'une merveilleuse découverte. J'allais même jusqu'à lire à haute voix certains passages de mon roman que j'avais déjà récrits : difficile d'imaginer tomber plus bas pour un écrivain, et autrement plus dangereux pour lui que de s'en aller skier sur un glacier sans être encordé, avant que la neige de l'hiver ait fini de combler les crevasses.

Quand ils me disaient : « C'est sublime, Ernest. Vraiment sublime. Tu ne sais même pas à quel point », je remuais la queue, tant j'étais content, et m'immergeais dans cette idée que la vie est une fête perpétuelle, pour voir si je ne pourrais pas en rapporter un joli bâton, au lieu de me dire : « Si ces salauds aiment ça, qu'est-ce qui cloche ? » C'est ce que je me serais dit si j'avais raisonné en professionnel, encore que, dans ce cas, je ne leur aurais jamais rien lu.

Cet hiver-là fut un cauchemar. Avant l'arrivée de ces riches, nous avions déjà été infiltrés par une autre sorte de riche, qui tirait les plus vieilles ficelles du monde. Une jeune femme célibataire devient provisoirement la meilleure amie d'une autre jeune femme, mariée celle-là, s'en vient vivre avec eux, et puis, à son insu, en toute innocence, mais sans merci, entreprend d'épouser le mari. Quand ce dernier est un écrivain occupé une bonne partie de la journée à une tâche difficile, et n'est donc pas pour sa femme un compagnon ou un partenaire digne de ce nom, l'arrangement présente certains avantages non négligeables jusqu'à ce qu'il découvre ce qui se trame. Le mari, quand il a fini de travailler, a deux jolies filles à sa disposition, dont l'une présente l'attrait de la nouveauté et de l'inconnu, et s'il n'a vraiment pas de veine, il se surprend à les aimer toutes les deux. Jusqu'au jour où la belle dame sans merci finit par l'emporter.

Présentée sous cet angle, l'histoire paraît ridicule. Mais aimer deux femmes en même temps, les aimer en toute sincérité, est ce qui peut arriver de plus terrible et de plus destructeur à un homme quand la célibataire se met dans la tête de convoler. L'épouse n'a rien deviné et garde sa confiance au mari. Ils ont partagé des moments extrêmement difficiles qui n'ont pas entamé leur amour, et elle a fini par lui faire une confiance aveugle. La nouvelle vous dit qu'il est impossible que vous l'aimiez vraiment, si vous aimez encore votre femme. Elle ne le dit pas tout de suite, bien sûr. Mais plus tard, une fois le meurtre commis. Une fois que vous vous mettez à mentir à tout le monde autour de vous et que votre seule certitude, c'est que vous aimez vraiment, sincèrement, deux femmes. Arrive alors le moment où vous faites des choses incroyables : quand vous êtes avec l'une, vous l'aimez, avec l'autre, vous l'aimez aussi, et avec les deux ensemble, vous les aimez toutes les deux. Vous manquez à toutes vos promesses, vous vous comportez d'une façon dont vous ne vous seriez jamais cru capable et vous faites ce que vous n'auriez jamais pensé avoir envie de faire un jour. La belle dame sans merci finit par l'emporter. Mais, au bout du compte, c'est la perdante qui gagne, et c'est bien là la meilleure chose qui me soit jamais arrivée. Voilà à quoi a ressemblé mon dernier hiver. Voilà, en tout cas, ce qu'il m'en est resté.

Ils ont tout partagé, ensemble ils ne s'ennuient jamais, et ils ont en commun quelque chose d'indestructible. Ils aiment leur enfant, ils aiment Paris, l'Espagne, certaines parties de la Suisse, les Dolomites et le Vorarlberg. Ils aiment ce qu'ils font, et elle a sacrifié son travail au sien, sans jamais se plaindre.

Dès lors, ils ne sont plus deux (et l'enfant) mais trois. Au début la situation est amusante et troublante, et il en va ainsi un certain temps. Il n'est de mal qui ne soit engendré par quelque innocence. Vous vivez donc au jour le jour et jouissez de ce qui s'offre à vous, sans vous inquiéter outre mesure. Certes, vous mentez, vous détestez mentir et cela vous mine, et chaque jour la situation devient plus dangereuse, et vous travaillez encore plus dur et, au sortir de votre travail, vous constatez que ce qui arrive est impossible, mais vous vivez au jour le jour comme à la guerre. Tout le monde est heureux, pour l'instant, sauf vous quand vous vous réveillez au beau milieu de la nuit. Vous les aimez toutes les deux à présent, et c'en est fait de vous. Tout se dédouble au-dedans de vous, et vous aimez deux personnes désormais au lieu d'une.

Quand vous êtes avec l'une vous l'aimez, mais vous aimez aussi celle qui n'est pas là. Et quand vous êtes avec l'autre, vous l'aimez, mais vous aimez aussi l'absente. Et quand vous êtes avec les deux, vous aimez les deux, le plus curieux dans l'affaire étant que vous êtes heureux. Mais au fur et à mesure, la nouvelle, elle, est de moins en moins heureuse parce qu'elle voit bien que vous les aimez toutes les deux, même si elle paraît se faire une raison. Quand vous êtes seul avec elle, elle sait que vous l'aimez et croit que si deux personnes s'aiment, elles ne peuvent aimer personne d'autre, et vous ne parlez donc jamais de l'autre, aussi bien pour l'aider elle que pour vous aider vous, même s'il y a bien longtemps que personne ne peut plus rien pour vous. Vous ne vous en êtes pas rendu compte, et peut-être qu'elle-même n'en était pas consciente quand elle a pris sa décision, mais à un moment donné au milieu de l'hiver elle a commencé à opter, lentement mais sûrement, pour le mariage… sans jamais cesser d'être l'amie de votre femme, sans jamais perdre l'avantage que lui donnait sa position, et tout en gardant toujours l'apparence de l'innocence la plus totale, en planifiant soigneusement ses absences et en restant éloignée suffisamment longtemps pour que celles-ci vous deviennent insupportables.

L'hiver des avalanches fut comme un hiver d'enfance, l'un des plus heureux et des plus innocents, comparé à celui qui suivit.

L'autre femme, la nouvelle, l'inconnue, qui possédait maintenant la moitié de vous-même, quand elle a décidé de se marier — on pourrait difficilement dire « briser votre mariage », puisqu'il ne s'agissait là que d'une étape nécessaire, regrettable, et non d'une fin en soi, négligeable et négligée —, n'a commis qu'une seule erreur, mais une erreur de taille. Elle a sous-évalué le pouvoir du remords.

Il me fallut quitter Schruns pour aller à New York afin de décider de l'éditeur à qui j'allais m'adresser, après le premier recueil de nouvelles. L'hiver fut particulièrement rude sur l'Atlantique Nord, on enfonçait jusqu'au genou dans la neige à New York. Dès mon retour à Paris, j'aurais dû prendre, à la gare de l'Est, le premier train en partance pour l'Autriche. Mais la fille dont j'étais tombé amoureux se trouvait alors à Paris et continuait d'écrire à ma femme. Les endroits où nous sommes alors allés, ce que nous avons fait, l'incroyable sentiment d'un bonheur fou, l'égoïsme et la traîtrise qui habitaient chacun de nos actes me remplirent d'une telle joie, une joie terrible et impossible à réprimer, que le noir remords ne tarda pas à me rattraper, et la haine du péché, mais pas la contrition, uniquement un terrible remords.

Quand je revis ma femme, debout au bord du quai, lorsque le train entra en gare entre les tas de bois, j'aurais tout donné pour ne jamais en avoir aimé une autre. Elle souriait. Il y avait du soleil sur son beau visage hâlé par la neige et le soleil, sur ses traits merveilleux, sur ses cheveux cuivrés dans le soleil, longs et sauvages, épargnés par le coiffeur pendant tout un hiver, et Mr

Bumby était debout à côté d'elle, blond et joufflu, avec ses bonnes joues d'hiver qui le faisaient ressembler à un petit gars du Vorarlberg.

« Oh ! Tatie, dit-elle, quand je la pris dans mes bras, tu es revenu et ton voyage a été un tel succès. Je t'aime et tu nous as tant manqué. »

Je l'aimais et n'aimais qu'elle, et nous connûmes des jours d'une magie merveilleuse tant que nous fûmes seuls. Je faisais du bon travail et nous entreprenions de longues excursions, et ce n'est qu'après avoir quitté nos montagnes, vers la fin du printemps, pour rentrer à Paris que l'autre chose recommença. Le remords était bel et bon : avec un peu de chance et à condition d'avoir été meilleur que je n'étais, il aurait pu m'entraîner dans une situation bien pire sans doute, au lieu de devenir pour moi un compagnon fidèle et de tous les instants pendant les trois années qui suivirent.

Peut-être que, somme toute, les riches n'étaient pas si mal, et que le poisson-pilote était bien un ami. Une chose était certaine : les riches ne faisaient jamais rien au nom de leurs intérêts. Ils collectionnaient les gens comme certains collectionnent les tableaux ou d'autres élèvent des chevaux, et ils se contentaient de me soutenir dans les décisions les plus mauvaises et les plus irréversibles que je pouvais prendre, faisant apparaître chacune d'elles comme parfaitement juste, incontournable et logique, alors qu'elles procédaient toutes de la duplicité. Non pas qu'elles fussent systématiquement prises à tort, bien qu'elles se soient finalement révélées désastreuses en raison du même travers de caractère qui les avait engendrées. Si vous trompez une personne et que vous lui mentez aux dépens d'une autre, vous recommencerez, invariablement. Si quelqu'un est capable de se comporter ainsi avec vous, quelqu'un d'autre le fera aussi, tôt ou tard. J'avais haï ces riches parce qu'ils m'avaient soutenu, voire encouragé, dans mes mauvais choix. Mais comment pouvaient-ils savoir que j'avais tort et que cela tournerait mal, alors qu'ils ne connaissaient pas tous les tenants et aboutissants de l'affaire ? Ce n'était pas leur faute. Leur seule faute, c'était de s'immiscer dans la vie des autres. Ils n'étaient un cadeau pour personne, ces gens-là, surtout pas pour eux-mêmes, et cette infortune, ils la vivaient jusqu'au bout et de la pire façon.

C'était chose terrible que la fille ait pu tromper ainsi son amie, mais, là encore, c'était ma faute si mon aveuglement m'avait empêché d'en concevoir du dégoût. Dans la mesure où j'étais directement impliqué et où j'étais amoureux, j'en assumais l'entière responsabilité et vivais avec le remords.

Le remords ne me quitta plus, ni de jour ni de nuit, jusqu'au jour où ma femme épousa un autre homme, quelqu'un de bien meilleur que je ne l'avais jamais été ou n'aurais jamais pu l'être, et où je sus qu'elle était heureuse.

Mais cet hiver-là, avant de savoir que je plongerais à nouveau dans la duplicité, nous avons connu des moments merveilleux à Schruns, et je les garde tous en mémoire : l'arrivée du printemps dans les montagnes, l'amour et la confiance que nous éprouvions l'un pour l'autre, ma femme et moi, notre joie à voir que tous les riches étaient partis, ma conviction que nous étions à nouveau invulnérables. Mais invulnérables, nous ne l'étions pas, et ce fut la fin de notre première période parisienne, et Paris ne fut plus jamais le même. C'était pourtant toujours Paris, et s'il changeait, vous changiez en même temps que lui. Nous ne retournâmes jamais au Vorarlberg, pas plus que les riches. Je ne pense pas que le poisson-pilote y soit jamais retourné lui non plus. Il avait d'autres lieux vers lesquels piloter les riches, et il finit par devenir riche lui-même. Mais il n'avait pas eu de chance au début, bien moins que tous les autres réunis.

Personne ne remonte plus les pentes à skis aujourd'hui, et presque tout le monde se casse la jambe, mais peut-être est-il plus facile de se briser une jambe que de se briser le cœur, même si, dit-on, tout se casse de nos jours et s'il arrive que, par la suite, beaucoup sortent plus forts de ces fractures. Aujourd'hui, je ne sais pas si c'est vrai, mais tel était le Paris de notre jeunesse, au temps où nous étions très pauvres et très heureux.

Nada y pues nada

Ceci pour vous donner une idée des gens et des endroits que nous fréquentions Hadley et moi à l'époque où nous nous croyions invulnérables. Invulnérables, nous ne l'étions pas, et ce fut bel et bien la fin de la première période parisienne. Plus personne ne remonte les pentes sur des peaux de phoque de nos jours. Ce n'est plus nécessaire. On a inventé différentes sortes de fixations, des bonnes et des mauvaises, et peut-être, en fin de compte, est-il plus facile de se casser une jambe que de se briser le cœur, même si l'on dit que beaucoup sortent plus forts de ces fractures. Vrai ou faux, je ne saurais le dire aujourd'hui, mais je sais qui l'a dit et j'approuve la déclaration.

On skie beaucoup mieux aujourd'hui, parce qu'on vous apprend mieux, et les bons skieurs sont un bonheur à regarder. Ils descendent plus vite et volent comme des oiseaux, des oiseaux étranges qui connaissent plus d'un secret, et ce ne sont que les couches profondes de neige fraîche qui constituent des dangers supplémentaires pour ceux qui ont besoin des pistes damées.

Les skieurs connaissent tous de nombreux secrets de nos jours, comme nous-mêmes en connaissions quand nous parcourions les glaciers sans être encordés, et qu'il n'existait pas de patrouilles de surveillance. Ils skient mieux que nous ne l'avons jamais fait, et ils seraient montés aux plus hauts sommets, même sans remonte-pentes, s'ils avaient eu à le faire. Ce qui a généré un problème d'un autre ordre.

À condition de s'y mettre de bonne heure et de posséder le talent et les fameux secrets, il n'y a aucune raison pour qu'il y ait des fractures, même dans des descentes aussi rapides que celles que l'on a pu voir cette année à Sun Valley, aucune raison pour que quiconque soit tué, vu la manière dont les choses sont organisées un peu partout. On se sert même de canons à présent, et on peut déclencher les avalanches avec des tirs de mortier.

Personne aujourd'hui ne saurait dire qu'il ne se cassera pas une jambe sous certaines conditions. Pour ce qui est du cœur, c'est différent. Certains disent qu'un cœur brisé, ça n'existe pas. Aucun doute là-dessus : vous ne risquez pas de briser votre cœur si vous n'en avez pas, et beaucoup de choses s'allient pour priver de cet organe ceux qui en étaient pourvus au départ. Peut-être n'y a-t-il rien à cet endroit. *Nada.* À vous de voir si vous êtes d'accord ou non. C'est peut-être vrai, peut-être faux. Certains philosophes l'expliquent fort bien.

Dans l'écriture aussi il y a beaucoup de secrets. Rien ne se perd jamais, même si c'est l'impression que l'on peut avoir sur le moment ; ce qu'on laisse de côté finira toujours pas refaire surface et ne fera que renforcer ce qui a été conservé. Certains disent que quand on écrit, on ne possède rien avant de l'avoir livré aux autres ou, si l'on est pressé, de s'en être débarrassé. Maintenant que l'époque de ces histoires parisiennes est très lointaine, peut-être n'en possédera-t-on rien tant qu'on ne l'aura pas recréée avec les mots de la fiction ; tout aussi bien, il conviendra peut-être de s'en défaire au plus vite, de peur de se le faire à nouveau dérober. Ils disent bien d'autres choses encore, ces gens, mais n'y faites pas attention. Ils parlent des secrets que nous avons, nous autres écrivains, et qui sont le produit d'une alchimie ; on écrit beaucoup là-dessus, surtout ceux qui ne savent rien, ni des secrets ni de l'alchimie. À l'heure actuelle, ceux qui cherchent à expliquer la création littéraire sont plus nombreux que les bons écrivains. Il vous faut beaucoup de chance en plus de tout le reste, et la chance n'est pas toujours au rendez-vous. C'est regrettable, mais il n'y a pas lieu de s'en plaindre, pas plus qu'il n'y a lieu de se plaindre, si vous n'êtes pas d'accord avec eux, des critiques qui tentent de vous expliquer ce que vous faites et pourquoi vous le faites comme ci ou comme ça. Laissez-les donc à leurs explications, même s'il n'en reste pas moins difficile de réconcilier le néant qui est le vôtre et cette partie de vos lecteurs dans laquelle vous vivez et perdurez. Certains vous souhaitent bonne chance, d'autres pas. Un bon écrit ne se laisse pas facilement détruire, mieux vaut malgré tout éviter les plaisanteries.

Parce que c'est alors que vous vous rappelez Evan, la dernière fois où il est venu vous voir à Cuba : il venait d'être opéré d'un cancer du pancréas. Il s'occupait lui-même de ses pansements et couvrait à ce moment-là les courses de chevaux du Gulfstream Park pour l'édition du matin du *Telegraph*. Comme il avait de l'avance dans son travail, il avait pris l'avion pour venir jusqu'à Cuba. Il n'avait pas apporté de morphine, ni même d'ordonnance, parce qu'on lui avait dit qu'à Cuba il était très facile de s'en procurer, mais c'était faux. Les autorités avaient pris de sévères mesures de restriction. Il était venu me faire ses adieux. Bien entendu, il n'y parvenait pas. On sentait l'odeur des drains qui suppuraient.

« Le médecin va sûrement m'en apporter, dit-il. Il doit être retenu quelque part. Excuse-moi, Hem, pour la douleur, et pour le spectacle que je donne.

— Il devrait être arrivé à l'heure qu'il est, le toubib.

— Essayons de nous rappeler tous les moments drôles qu'on a vécus ensemble, et les gens extraordinaires qu'on a connus. Tu te souviens de Desnos ? Du bouquin fantastique qu'il t'avait envoyé ?

— Tu te rappelles la fois où tu as débarqué à Madrid en *alpargatas* dans la neige, tu sortais de l'hôpital de Murcie, tu étais convalescent, en permission spéciale ; tu dormais sous les couvertures au pied du lit, en travers, et John Tsanakas dormait par terre, et c'était lui qui nous faisait la cuisine…

— Sacré vieux John ! Tu te souviens de son histoire de loup quand il était berger ? Ça m'embêtait de tousser autant. Ça ne veut rien dire quand je crache du sang, mais je trouve ça embarrassant. Tu sais, Paris, c'était bien, et Key West était génial. Mais le meilleur, de loin, c'était l'Espagne.

— Et l'autre guerre. Comment t'as réussi à t'engager ?

— Ils finissent toujours par t'accepter, pour peu que tu en aies vraiment envie. Je l'ai prise vraiment à cœur, cette guerre, et j'ai fini sergent-chef. C'était tellement facile après l'Espagne. Un peu comme de se retrouver à l'école et beaucoup comme de se retrouver avec les chevaux. Les combats n'avaient d'intérêt qu'en tant que problèmes.

— J'ai conservé tous les poèmes de l'époque. »

La douleur était très forte à présent, et nous avions évoqué tant de moments vraiment drôles et de gens extraordinaires.

« Tu as fait preuve de beaucoup d'attentions à leur sujet, Hem. Non pas qu'il faille publier tout ce qui s'écrit. Mais je pense aujourd'hui qu'il est important qu'ils existent. On a vécu des choses très fortes, l'un et l'autre, pas vrai, Hem ? Et tu as écrit superbement sur *Nada.*

— *Nada y pues Nada* », dis-je. Mais je me rappelais le Gulf Stream, la mer et le reste.

« Tu ne m'en voudras pas d'être si sérieux, Hem. Ça m'a fait tellement de bien de parler de *Monsieur* Dunning et du *fou dans le cabanon,* lors de cette merveilleuse traversée du vieux Paris, de la disparition de Mr Vosper et d'André et de Jean. Les deux serveurs. De parler aussi d'André Masson et de Joan Miró et de ce qui leur est arrivé. Tu te souviens de l'époque où tu m'entretenais sur les indemnités que t'accordait la banque et des tableaux que j'achetais ? Aujourd'hui, il faut absolument que tu continues, parce que c'est en notre nom à tous que tu écris.

— Qui est ce "tous" ?

— Fais pas semblant de ne pas comprendre. Je pense au nous tous des premiers temps, des meilleurs moments et des plus mauvais aussi, et de l'Espagne. Et puis à cette autre guerre, à ce qui est arrivé depuis, et à ce que nous vivons aujourd'hui. Il faut que tu racontes le bon temps, sans oublier le reste, que nous sommes les seuls à connaître, nous qui nous sommes trouvés dans des endroits étranges à d'étranges moments. Fais-le, je t'en prie, même si tu n'as pas envie d'y repenser. Et parle d'aujourd'hui. Je suis tellement occupé avec les chevaux que je ne sais plus rien sur aujourd'hui. Je ne connais plus que le mien d'aujourd'hui.

— Je regrette vraiment qu'il n'arrive pas avec ce truc, Evan. Pour l'instant, c'est notre seul et unique aujour-d'hui.

— C'est que de la douleur, dit-il. Il doit avoir une bonne raison pour être en retard.

— On va rentrer, voir si on arrive à en trouver. C'est pas opérable, Evan ?

— Non. On m'a déjà opéré, évidemment. Tu crois pas qu'il faudrait qu'on parle de nos corps ? Je suis tellement content que tes analyses soient négatives. C'est merveilleux, Hem. Tu me pardonneras de parler aussi sérieusement de ton travail. D'autant que je te demande de faire l'inverse de ce que j'ai fait moi-même avec ma poésie. Tu comprends pourquoi. On n'a jamais eu besoin de s'expliquer les choses, nous deux. J'écris à propos de mon aujourd'hui, les chevaux. Toi, tu as un aujourd'hui autrement plus intéressant. Et tu m'as fait cadeau de tant de lieux et de gens.

— Rentrons, Evan, et essayons de trouver un peu de morphine. J'en avais gardé un peu du bateau. Mais ça ne me plaisait pas trop de le laisser traîner dans la maison, et je crois que je l'ai brûlé.

— On risque de manquer le toubib, si on s'en va.

— Je vais en appeler un autre. Ça ne rime à rien d'attendre, quand la douleur devient insupportable.

— T'inquiète pas, je t'en prie. J'aurais dû en apporter moi-même. Je suis sûr qu'il va arriver. Je vais juste aller dans la petite maison, si ça ne t'ennuie pas, et m'allonger un moment. Hem, tu n'oublieras pas de continuer à écrire ?

— Non, dis-je. Je n'oublierai pas, promis. »

J'allai jusqu'au téléphone. Non, me dis-je, je n'oublierai pas. Écrire était ce pour quoi j'étais né, ce que j'avais fait et ferais encore. Ils pouvaient dire ce que bon leur semblait sur les romans ou les nouvelles, ou sur leur auteur, peu m'importait.

Mais il y a des *remises*, des endroits où l'on peut laisser ou ranger certaines choses, comme une cantine ou un sac de marin contenant des effets personnels, ou les poèmes non publiés d'Evan Shipman, des cartes annotées ou même des armes qu'on n'a pas eu le temps de remettre aux autorités compétentes, et ce livre contient des matériaux tirés des *remises* de ma mémoire et de mon cœur. Même si l'on a trafiqué la première, et si le second n'est plus.

FRAGMENTS

Les fragments suivants sont les transcriptions de brouillons, écrits à la main, de faux départs pour l'introduction rédigée par Hemingway pour l'édition originale. Ils sont rassemblés dans la pièce 122 de la Collection Hemingway de la bibliothèque John F. Kennedy, à Boston.

Ce livre est une œuvre d'imagination. J'ai laissé beaucoup de choses de côté, opéré des changements et des coupes, et j'espère que Hadley comprendra. Elle verra pourquoi je l'espère. Elle en est l'héroïne, et la seule personne en dehors de quelques riches dont la vie a bien tourné et comme il convenait.

Ce livre est une œuvre d'imagination. J'ai laissé beaucoup de choses de côté, opéré des changements et des coupes, et j'espère que Hadley comprendra. Il se peut qu'un ouvrage de ce genre élimine et déforme, mais il tente de récréer par l'imagination une époque et les gens qui l'ont vécue. Les faits dont on se souvient, jamais on ne pourra les rendre tels qu'ils se sont produits dans la réalité ; Evan serait d'accord sur ce point, mais il est mort. Scott, lui, ne le serait pas. Miss Moorehead vous poursuivrait en justice si vous vous avisiez de publier quoi que ce soit contre Walsh, et elle avait amplement matière à poursuites. Il faudra bien que l'histoire concernant Walsh sorte une bonne fois au grand jour.

Ce livre est de bout en bout une œuvre d'imagination, mais il est toujours possible que la fiction jette quelque lueur sur ce qui a été rapporté comme un fait. Hadley en est l'héroïne, et j'espère qu'elle comprendra et me pardonnera d'avoir choisi la fiction, d'autres ne me le pardonneront jamais. Il serait vain de s'attendre à ne pas être poursuivi en justice par des gens dont le nom commence systématiquement par Miss.

Ce livre est une œuvre d'imagination. Mais il est toujours possible qu'une œuvre d'imagination jette quelque lueur sur ce qui a été rapporté comme un fait.

Il est beaucoup question de pauvreté ici, mais la pauvreté n'était pas tout. Hadley ne s'y trompera pas et comprendra j'espère pourquoi certaines choses ont été changées et pourquoi il fallait que ce soit de la fiction. Elle saura faire le départ entre les moments où la fiction est effectivement fiction et ceux où elle est réalité. D'autres personnes ne comprendront pas pourquoi ils figurent dans ces textes, ou pourquoi ils en sont exclus. Chacun voit les choses différemment, et près de quarante ans se sont écoulés. Des personnalités très fortes et très importantes à leurs propres yeux disparaissent après coup, même si, toujours à leurs yeux, elles restent davantage d'actualité que n'importe qui d'autre. La plupart des voyages ne sont pas là, pas plus que nombre de gens que nous aimions et auxquels nous étions attachés. Il a fallu tailler sans pitié, comme il convient dans une œuvre d'imagination.

Le pire dans l'affaire, c'est que vous ne pouvez publier vos textes de façon posthume, parce que cela n'empêchera pas les gens de vous poursuivre en justice, même si vous avez changé les noms et que vous dites avoir écrit une œuvre de fiction. Ce ne serait pas le cas de Hadley, puisque c'est elle l'héroïne et puisqu'elle saurait à quels moments elle devient un personnage dans un ouvrage de ce genre.

Ce livre est une œuvre d'imagination, mais il est toujours possible qu'une œuvre de ce genre jette quelque lueur sur ce qui a été rapporté comme un fait.

Il était nécessaire de présenter cet ouvrage comme de la fiction et non comme la réalité, et

Hadley comprendra, je l'espère, pourquoi il fallait utiliser certains matériaux tels quels et en transposer d'autres, à tort ou à raison. Toute réminiscence du passé met forcément en jeu l'imagination, et il y a ici des coupes claires qui affectent aussi bien des personnes que la plupart des voyages et des gens auxquels nous étions attachés. Ils étaient les seuls à connaître certaines choses. D'autres ne sont pas là, simplement parce qu'il arrive que les gens disparaissent après coup, même si, à leurs propres yeux, ils restent davantage d'actualité que n'importe qui d'autre.

Il n'y a pas de dernier chapitre. Il y en avait cinquante au départ. J'espère que certains comprendront et me pardonneront le choix que j'ai fait de la fiction ainsi que la présentation de l'ouvrage. Des coupes claires ont été opérées, beaucoup de choses ont été changées. De nombreux voyages ont été omis, ainsi que quantité de gens. Il n'y a pas de catalogue des omissions ou des soustractions. La leçon à tirer a elle aussi été omise. Vous pouvez insérer la vôtre, ainsi que les drames, générosités, attachements et folies de ceux que vous connaissiez, puis les décoder comme vous le feriez avec un instrument de transmission. Vous vous tromperez, bien entendu, comme je l'ai fait moi-même.

Deux choses sont importantes. Rien n'a perduré pour nous, malgré nos meilleures intentions, et on skie bien mieux aujourd'hui qu'à notre époque. Plus personne ne remonte les pentes sur des peaux de phoque à moins de le vouloir vraiment, et les gens sont très bien entraînés, et sont meilleurs à tout point de vue. Ils se cassent la jambe et, de par le monde, certains se brisent encore le cœur. Ils descendent plus vite et volent comme des oiseaux détenteurs de quantités de secrets. Qu'ils n'ont pas le temps de livrer au passage. Tout le monde connaît beaucoup de secrets de nos jours et tout le monde a tout raconté et en racontera encore davantage. Ce serait bien si tout cela pouvait être vrai, mais, à défaut, j'ai essayé de le rendre simplement intéressant. Personne n'était invulnérable, mais nous étions convaincus de l'être, et, à entendre aujourd'hui la voix de certains au téléphone, vous devinez qu'ils le sont toujours et qu'ils méritent de l'être.

Ce livre est une œuvre d'imagination, et si beaucoup de choses ont été changées, c'est en fait parce que je voulais donner une image plus véridique d'une certaine époque.

Il n'existe aucune formule susceptible d'expliquer pourquoi ce livre est une fiction, et quand bien même elle existerait, elle ne serait pas efficace.

Tout paraissait si simple au début. Jusqu'au jour où on découvre que l'on se trompe, qu'on fait des erreurs.

Ce livre est une œuvre d'imagination et doit être lu comme tel. Il se peut qu'il éclaire d'autres livres qui, eux, se présentent comme une transcription exacte de la réalité. Je prie Hadley d'excuser toute déformation, défaillance ou erreur. C'est elle l'héroïne de ces histoires, et j'espère qu'elle comprendra. Elle mérite ce que la vie a de meilleur à offrir, y compris un compte rendu exact de ses faits et gestes.

Ce livre est une œuvre d'imagination, mais il est toujours possible qu'une œuvre de ce genre jette quelque lueur sur ce qui a été rapporté comme un fait.

Hadley comprendra pourquoi il était préférable de recourir à la fiction plutôt qu'au principe du reportage, et elle reconnaîtra les matériaux que j'ai incorporés dans cette fiction, à tort ou à raison. Scott est lui aussi romancé, et je parlais de ses drames compliqués, de sa générosité, de ses attachements, mais j'ai fini par tout laisser de côté. D'autres ont écrit à son sujet, et j'ai essayé de les aider. Presque tout le monde a été exclu, au même titre que la plupart des voyages, des gens que nous aimions, et des choses qu'ils étaient les seuls à connaître. Une partie seulement du Paris que nous connaissions se retrouve dans cet ouvrage, et je ne dresserai pas le catalogue de ce qui manque. Il n'est pas facile de transformer en fiction tout ce qui manque, et, quoi qu'il en soit, tout y est même quand vous l'omettez.

On skie beaucoup mieux aujourd'hui, certains se cassent une jambe, d'autres se brisent le cœur. Ce n'est pas rien, et c'est très regrettable d'avoir le cœur brisé, certains grands philosophes vous expliquent que vous ne pouvez pas vous briser un organe qui n'est pas là, et qui peut-être n'existe plus chez vous à la suite d'un drame quelconque. L'important c'est que les gens puissent skier mieux, et c'est ce qu'ils font. Ils écrivent mieux, également, et tout, notamment plusieurs guerres et ce qui s'est produit entre-temps ainsi que tous les bons écrivains depuis le début, a contribué à cette amélioration. *À la recherche du temps perdu* était aussi une œuvre d'imagination.

Il se peut que le fragment qui suit ait été conçu comme une révision portant sur « L'éducation de Mr Bumby ». C'est la pièce 186 dans la Collection Hemingway de la bibliothèque John F. Kennedy.

En ce temps-là, être fou n'avait rien de déshonorant, mais, d'un autre côté, on n'en tirait aucun mérite. Nous qui avions fait la guerre, nous admirions ceux que la guerre avait rendus dingues, dans la mesure où nous savions que s'ils étaient ainsi, c'était parce qu'ils avaient dû supporter l'in-sup-portable. Et s'ils n'avaient pu le supporter, c'est parce qu'ils étaient faits d'un alliage plus fin ou plus fragile, ou parce qu'ils étaient simples et comprenaient trop bien les choses.

Les fragments qui suivent ont été transcrits à partir de brouillons rédigés à la main et destinés à la fin de l'ouvrage. Ils constituent la pièce 124 dans la Collection Hemingway de la bibliothèque John F. Kennedy.

Il y avait bien plus à dire sur ce pauvre Scott, sur ses drames compliqués, sa générosité, ses attachements ; j'en ai effectivement parlé, avant de tout laisser de côté. D'autres ont écrit à son sujet et ceux qui l'ont fait, et qui ignoraient tout de lui, j'ai essayé de les aider en leur expliquant ces aspects de lui que je connaissais bien, en leur parlant de sa générosité et des bontés dont il était capable. Mais ce livre-ci concerne notre premier séjour parisien et certaines de ses caractéristiques les plus authentiques, or Scott n'a pas connu ce Paris des débuts qui nous était si familier, que nous aimions, où nous travaillions, et qui m'a toujours paru si différent de tout ce que j'aie jamais pu lire sur le sujet. Ce Paris-là, il était impossible de le concentrer tout entier en un seul volume, et je me suis efforcé d'observer la vieille règle selon laquelle celui qui écrit ne devrait se prononcer sur la valeur de son ouvrage qu'en fonction de l'excellence des matériaux qu'il rejette. Une bonne part de ce qui était intéressant et instructif a disparu, et ce livre a pour ambition de distiller plutôt que d'amplifier. André Masson et Joan Miró ne sont pas là, comme ils auraient dû l'être et comme ils le seront, pas plus que Gide m'apprenant à punir un chat, ou Evan Shipman et Harold Stearns dilapidant la fortune d'Evan à sa majorité, mais ce sont-là des histoires à la Dostoïevski. Je n'ai pas parlé non plus du vieux Stade Anastasie, rue Pelleport [ni de Ménilmontant], où les boxeurs servaient les consommateurs mais servaient aussi de sparring-partners à Larry Gains, ni des grands combats au vieux Cirque d'hiver ou au Cirque de Paris, pas plus que de beaucoup de mes meilleurs amis, tels que Bill Bird ou Mike Strater, ni de la Forêt-Noire, ni d'Ezra, d'Eliot et du *Bel Esprit*, ni du jour où Ezra m'a laissé le bocal d'opium pour Cheever Dunning, ni de Ford comme j'aurais dû le faire. J'ai procédé à des coupes claires, dont j'espère qu'elles contribuent à renforcer ce qui a été conservé. J'ai arrêté au moment où Pauline entre en scène. Ce qui aurait pu constituer une fin idéale, sauf que c'était un début et non une fin. Il reste que je l'ai écrit, avant de le laisser tomber. Ce texte est demeuré en l'état et constitue le début d'un autre livre. Qui ne peut s'écrire que sous forme romancée, bien sûr. Si c'est le livre qui contient le plus de moments de grand bonheur, c'est aussi le plus triste que je connaisse. Mais c'est pour plus tard.

Paris n'a jamais de fin, mais peut-être que ceci vous donnera une idée exacte des gens, des lieux et du pays, à l'époque où Hadley et moi nous nous croyions invulnérables. Invulnérables, nous ne l'étions pas, et ce fut la fin de la première période parisienne. Plus personne ne remonte les pentes à skis de nos jours, et presque tout le monde se casse une jambe, et peut-être est-il plus facile, tout compte fait, de se casser une jambe que de se briser le cœur, même si l'on dit que tout se casse aujourd'hui et que beaucoup sortent plus forts de ces fractures. Vrai ou faux, je n'en sais rien, même si je me souviens de qui l'a dit. Mais c'est ainsi qu'étaient Paris et d'autres endroits au tout début, quand nous étions très pauvres et très heureux. Il existe un autre livre qui porte sur les morceaux manquants, sans compter les histoires qui se sont perdues.

C'est donc la fin, pour l'instant. Paris n'a jamais eu de fin, en fait, et ceci est la fin de la première période, de cette partie essentielle qui m'a toujours paru si différente de tout ce que j'aie jamais pu lire sur le sujet.

Il y a bien plus à dire sur Scott, sur ses drames compliqués, sa générosité, ses attachements ; j'ai effectivement écrit là-dessus, avant de tout laisser de côté. D'autres ont écrit à son sujet, et j'ai fait de mon mieux pour les aider, en leur expliquant ces aspects de lui que je connaissais. Ceci concerne la première période parisienne, et Scott n'a pas connu le Paris des débuts, celui qui nous était familier, que nous aimions et où nous travaillions. Ce Paris-là, il était impossible de le concentrer en un seul volume, et je me suis efforcé d'observer la vieille règle selon laquelle celui qui écrit ne devrait se prononcer sur la valeur de son ouvrage qu'en fonction de l'excellence des matériaux qu'il rejette. La seconde période parisienne a été merveilleuse, même si elle a commencé de façon plutôt tragique. Cette partie-là, celle qui concerne Pauline, je ne l'ai pas éliminée, je l'ai conservée pour en faire le début d'un autre livre. C'est en effet un début plutôt qu'une fin.

Ce pourrait être un bon livre, dans la mesure où il raconte beaucoup de choses que personne ne connaît ni ne connaîtra jamais, et où il contient amour, remords, regrets, incroyable bonheur et, pour finir, immense chagrin.

Cette partie-là, celle qui concerne Pauline, je ne l'ai pas éliminée, je l'ai conservée pour en faire le début d'un autre livre. Qui a pour titre « Le poisson-pilote et les riches, et autres histoires ».

Il n'y a aucune référence, ici, à Ménilmontant, ni au Stade Anastasie, en haut de la pente raide de la rue Pelleport, où les boxeurs de l'écurie Anastasie servaient les consommateurs attablés sous les arbres et où le ring était dressé dans le jardin, ni aux séances d'entraînement avec Larry Gains, ni aux débuts de Paolino sur un ring ou aux grands combats en vingt rounds du Cirque d'hiver et du Cirque de Paris, ni à ce que trois de mes meilleurs amis, Charley Sweeney, Bill Bird et Mike Strater, étaient les seuls à connaître. J'ai également laissé de côté l'essentiel des voyages, ainsi que des gens que j'aimais, pourtant, et auxquels j'étais très attaché ; d'autres ne sont pas là non plus, simplement parce qu'il arrive que les gens disparaissent après coup, même si, à leurs propres yeux, ils restent davantage d'actualité que n'importe qui d'autre.

Si quelqu'un, en son temps, a jamais entendu quatre personnes honnêtes ne pas être d'accord sur ce qui s'est passé en un lieu donné à un moment donné, ou s'il lui est jamais arrivé de déchirer et de renvoyer des ordres qu'il avait lui-même réclamés au moment où une situation atteignait un point tel qu'il lui semblait nécessaire de les avoir par écrit, ou bien encore s'il a un jour témoigné devant un inspecteur général à la suite d'accusations portées contre lui, lesquelles arguaient de nouvelles déclarations faites par d'autres qui se substituaient à ses ordres écrits ou verbaux, ce quelqu'un, au souvenir de certains événements, de la manière dont ils lui étaient apparus, de qui s'était battu et où, choisira de présenter son passé, quelle que soit la période, sous forme de fiction.

Il n'y a jamais de fin à Paris et le souvenir qu'en gardent tous ceux qui y ont vécu diffère d'une personne à l'autre. Nous y sommes toujours revenus, et peu importait qui nous étions, chaque fois, ni comment il avait changé, ni avec quelles difficultés — ou quelle facilité — nous pouvions nous y rendre. Paris valait toujours le déplacement, et on recevait toujours quelque chose en retour de ce qu'on lui donnait.

APPENDICE

Catalogage des vignettes parisiennes inédites

Les numéros des pièces ci-dessous sont ceux du système de catalogage de la Collection Hemingway de la bibliothèque John F. Kennedy de Boston.

« Naissance d'une nouvelle école », pièce 155
« Ezra Pound et son Bel Esprit », pièce 161
« Écrire à la première personne », pièce 179a
« Plaisirs secrets », pièce 256
« Un drôle de club de boxe », pièce 185
« L'âcre odeur des mensonges », pièce 180
« L'éducation de Mr Bumby », pièce 185a
« Scott et son chauffeur parisien », pièce 183
« Le poisson-pilote et les riches », pièce 123s
« *Nada y pues nada* », pièce 124a

PARIS EST UNE FÊTE

ERNEST HEMINGWAY

PRIX NOBEL DE LITTÉRATURE 1954

Aux Éditions Gallimard

CINQUANTE MILLE DOLLARS, 1928 (Folio n° 280)

L'ADIEU AUX ARMES, 1932 (Folio n° 27)

LE SOLEIL SE LÈVE AUSSI, 1933 (Folio n° 221)

LES VERTES COLLINES D'AFRIQUE, 1937, nouvelle édition en 1978 (Folio n° 352)

MORT DANS L'APRÈS-MIDI, 1938 (Folio n° 251)

EN AVOIR... OU PAS, 1945 (Folio n° 266)

DIX INDIENS, 1946

PARADIS PERDU *suivi de* LA CINQUIÈME COLONNE, 1949

LE VIEIL HOMME ET LA MER, 1952 (Folio n° 7 et Folioplus classiques n° 63), nouvelle traduction 2017.

POUR QUI SONNE LE GLAS, 1961 (Folio n° 455)

PARIS EST UNE FÊTE, 1964 (Folio n° 465 et nouvelle édition Folio n° 5454)

AU-DELÀ DU FLEUVE ET SOUS LES ARBRES, 1965 (Folio n° 589)

EN LIGNE. Choix d'articles et de dépêches de quarante années, 1970 (Folio n° 2709)

ÎLES À LA DÉRIVE, 1971 (Folio n° 5259)

LES NEIGES DU KILIMANDJARO *suivi de* DIX INDIENS et autres nouvelles, 1972 (Folio n° 151)

E.H. APPRENTI REPORTER. Articles du « Kansas City Star », 1973

LES AVENTURES DE NICK ADAMS, 1977 (Folio n° 6311)

88 POÈMES, 1984

LETTRES CHOISIES (1917-1961), 1986

L'ÉTÉ DANGEREUX, Chroniques, 1988 (Folio n° 2387)

LE JARDIN D'ÉDEN, 1989 (Folio n° 3853)

LE CHAUD ET LE FROID. Un poème et sept nouvelles..., 1995 (Folio n° 2963)

NOUVELLES COMPLÈTES, coll. Quarto, 1999

LA VÉRITÉ À LA LUMIÈRE DE L'AUBE, 1999 (Folio n° 3583)

LES NEIGES DU KILIMANDJARO et autres nouvelles / *THE SNOWS OF KILIMANDJARO* and other stories, 2001 (Folio Bilingue n° 100)

LE VIEIL HOMME ET LA MER / *THE OLD MAN AND THE SEA*, 2002 (Folio Bilingue n° 103)

CINQUANTE MILLE DOLLARS et autres nouvelles / *FIFTY GRAND* and other stories, 2002 (Folio Bilingue n° 110)

L'ÉTRANGE CONTRÉE, texte extrait du recueil *Le chaud et le froid*, 2003 (Folio 2 € n° 3790)

HISTOIRE NATURELLE DES MORTS et autres nouvelles, nouvelles extraites de *Paradis perdu* suivi de *La cinquième colonne*, 2005 (Folio 2 € n° 4194)

LA CAPITALE DU MONDE suivi de L'HEURE TRIOMPHALE DE FRANCIS MACOMBER, 2008 (Folio 2 € n° 4740)

LES FORÊTS DU NORD / *THE NORTHERN WOODS*, 2008 (Folio Bilingue n° 157)

UN CHAT SOUS LA PLUIE et autres nouvelles suivi de LA CINQUIÈME COLONNE, 2017 (Folio n° 6312)

Dans la collection « Écoutez lire »

LE VIEIL HOMME ET LA MER (3 CD)

Bibliothèque de la Pléiade

ŒUVRES ROMANESQUES

TOME I : *L'Éducation de Nick Adams – Torrents de printemps –*

L'Adieu aux armes – L'Éducation de Nick Adams (suite) ou Nick Adams et la Grande Guerre – Poèmes de guerre et d'après-guerre – Le Soleil se lève aussi – Paris est une fête – L'Éducation européenne de Nick Adams – Mort dans l'après-midi – Espagne et taureaux. Supplément : L'Éducation de Nick Adams (suite posthume) – Nouvelles de jeunesse (1919-1921) – Après la fête qu'était Paris – Dernière gerbe. Nouvelle édition augmentée d'un *Supplément* en 1994.

TOME II : *Les Vertes Collines d'Afrique. Chasses en Afrique : L'Heure triomphale de Francis Macomber – Les Neiges du Kilimandjaro. Dépression en Amérique : Les Tueurs – Cinquante mille dollars – La Mère d'une tante – Course poursuite – Une lectrice écrit – Une journée d'attente – Le Vin de Wyoming – Le Joueur, la religieuse et la radio. Pêche et tempêtes dans la mer des Caraïbes : Sur l'eau bleue – La voilà qui bondit ! – Après la tempête – Qui a tué les anciens combattants ?. En avoir ou pas. Pour qui sonne le glas. La Cinquième Colonne. La Guerre civile espagnole : Le Vieil Homme près du pont – Le Papillon et le Tank – En contrebas – Veillée d'armes – Personne ne meurt jamais. La Deuxième Guerre mondiale (reportages) : En route pour la victoire – Londres contre les robots – La Bataille de Paris – Comment nous arrivâmes à Paris – Le « G.I. » et le Général – La Guerre sur la ligne Siegfried. Deux poèmes à Mary. Deux histoires de ténèbres. Au-delà du fleuve et sous les arbres. Fables. Le Vieil Homme et la mer. Discours de réception du prix Nobel.*

Au Mercure de France

LA GRANDE RIVIÈRE AU CŒUR DOUBLE *suivi de* GENS D'ÉTÉ, coll. Le Petit Mercure, 1998

Composition Nord Compo
Impression Maury Imprimeur
45330 Malesherbes
le 28 février 2021
Dépôt légal : février 2021
1er dépôt légal dans la collection : juillet 2012
Numéro d'imprimeur : 251987

ISBN 978-2-07-043744-3. / Imprimé en France.

394391